RIBON MASCOT COMI

NANA 16

ナナ

矢《や》沢《ざわ》あい

もくじ

〈いままでのお話《はなし》〉

地方巡業《ちほうじゅんぎょう》中《ちゅう》のブラスト。帰京後《ききょうご》にレンとの婚姻届《こんいんとどけ》を出《だ》すと決《き》めたナナのもとに、週刊《しゅうかん》サーチからレンとレイラの衝撃的《しょうげきてき》な写真《しゃしん》が届《とど》く。記事《きじ》を止《と》めるために、タクミは奈々《なな》と急遽《きゅうきょ》入籍《にゅうせき》し、2人《り》の結婚《けっこん》を特《とく》ダネとしてサーチに提供《ていきょう》することに。レイラはトラネスのボーカルとしての立場《たちば》を弁《わきま》え、シンに別《わか》れを告《つ》げる。

奈々《なな》から入籍《にゅうせき》を報告《ほうこく》され、募《つの》っていた孤独《こどく》に耐《た》え切《き》れなくなったナナはパニックに陥《おちい》り、レンに本音《ほんね》をぶつけてしまう。自分《じぶん》の気持《きも》ちが分《わ》からないというナナに対《たい》し、レンはゆっくり考《かんが》えるよう伝《つた》える。

ブラストが帰京《ききょう》して間《ま》もなく、今度《こんど》はトラネスがイギリスに2か月間《げっかん》のレコーディングへ。出発日《しゅっぱつび》が近《ちか》づいていくものの、それぞれが複雑《ふくざつ》な思《おも》いを抱《かか》えたままで…!?

♥くわしい物語は、「NANA－ナナ－」①～⑮巻（発売中）でどうぞ!!

ずっと待《ま》ってる

ナナが再《ふたた》び立《た》ち上《あ》がる日《ひ》まで

NANA
——ナナ——
[第《だい》58話《わ》]

まるで打《う》ち上《あ》げ花火《はなび》みたいだった

あたし達《たち》の見《み》ていた夢《ゆめ》は

黒《くろ》い闇《やみ》を覆《おお》いつくす光《ひかり》と音《おと》の洪水《こうずい》

目眩《めくら》ましのお祭《まつり》

AGORAD
What can I get ya?

A pint of Guinness please
Coming right up

ド！ン

倉田《くらた》です
ドドーーン
え?
ああ
ドドーーン
すいません
花火《はなび》の音《おと》がうるさくて
ええ
花火《はなび》
こっちは別《べつ》に
夏《なつ》の風物詩《ふうぶつし》じゃないんですよ
なんでも
国会議事堂《こっかいぎじどう》の爆破事件《げくはじけん》が未遂《みすい》に終《お》わった事《こと》を記念《きねん》したお祭《まつり》だとか
いや
400年《ねん》以上《いじょう》も昔《むかし》の話《はなし》ですよ
ドーーン
パタン

ナナは見《み》つかりませんでした
今回《こんかい》も全部《ぜんぶ》ガセネタですよ
おれはもうこの仕事《しごと》は受《う》けません
工藤《くどう》さんもいいかげん諦《あきら》めたらどうですか
いくら探《さが》しても無駄《むだ》だよ
ブラストのナナは噂《うわさ》通《どお》り もう死《し》んだんだ

あの海《うみ》で
ねえ　ハチ
今年《ことし》もそろそろ　あの海《うみ》に初雪《はつゆき》が降《ふ》る
季節外《きせつはず》れの花火《はなび》を独《ひと》り見上《みあ》げていると

飼《か》い慣《な》らしたはずの寂《さび》しさが
どうしようもなく暴《あば》れ出《だ》すんだよ
ダン

はいオッケーでーす!
おつかれさまでーす
ナナさーーーん!
ちょっとお話《はなし》聞《き》かせて下《くだ》さい♡
すみません急《いそ》いでますから!
レンとはもう入籍《にゅうせき》したの?
タクミの奥《おく》さんとはいつから友達《ともだち》なの?
今日《きょう》のウィークリーチャート見《み》た?
急《いそ》いでるっつってんだろうぜぇな

ヴロロロロ…
さみしー
なんだよあれ
最悪《さいあく》だなナナ
2時間待ったのに
ド新人《しんじん》がいい気《き》になりやがって
もー〜〜
ブラストなんか結局《けっきょく》レンのおこぼれバンドじゃん
☆1位☆
TRUST TRAPNEST
ピピ
第3位
BLAST! BLACK STONES
週間《しゅうかん》チャートなんか気《き》にする事《こと》ないわよ
累計《るいけい》ではうちがまだ勝《か》ってんだし
ヴロロロロ…
ピッ
つーかこんだけ売《う》りゃもう充分《じゅうぶん》だろ
それより問題はセカンドだ

でもナナさんは気《き》にしてると思《おも》うけど
おれも気《き》にする
くやしかったらどんどん新曲《しんきょく》書《か》きなさいよ
百合《ゆり》とヤッてばっかいないで
書《か》いてるよ
でも松尾《まつお》さん次々《つぎつぎ》却下《きゃっか》するんだもん
タヌキはホメてくれるのに
そりゃあれじゃダメだろ
売《う》れねぇよ
でも僕《ぼく》はいじられまくったファーストよりどれもずっとかっこいいと思《おも》ったけど…
だよな
「BLAST《ブラスト》!」はすでにパンクじゃねぇよ
だからヴィジュ系《けい》とか言《い》われるんだよ
そんな下《くだ》らない陰口《かげぐち》に振《ふ》り回《まわ》されてるからろくな曲《きょく》が書《か》けないのよ
だいたいヴィジュアル系の何がいけないの?
美しい事はいい事よ?
まあチャートが気《き》になるなら万人《ばんにん》ウケする曲《きょく》を書《か》くべきだよ
でも売《う》れりゃいーってもんでもねぇし…
覚悟《かくご》決めてプロになったんだろ 書《か》け

大変《たいへん》よく
お似合《にあ》いですよ
そちらは60年代《ねんだい》の
ヴィンテージで
一点物《いってんもの》ですけれど
まるでお客様《きゃくさま》の為《ため》に
仕立《した》てたみたい♡
そうかしら♡
そのお洋服《ようふく》に
ピッタリの靴《くつ》も
ございますよ
当店のオリジナルですの
フラットだから
妊婦も安心♡
かわいー♡
お揃《そろ》いのバッグも
いかがですか?
欲《ほ》しーー♡

全部《ぜんぶ》買《か》っていい？
どーぞどーぞ いくらでも
きゅー♥
ありがとう！
愛《あい》してる♡
……
仕事 仕事
お会計《かいけい》はこちらになります 一ノ瀬《いちのせ》様《さま》
♪
ドキドキ♥
129,150
なんだ 安《やす》いね
カードでいーの？
一括で♡
こら タクミ
はい

あんまり奈々《なな》の事《こと》
甘《あま》やかさないで
バカ女《おんな》に磨《みが》きを
かけてどーする
ちゃんと厳《きび》しく
しつけてよ
……
分《わ》かってます　お母様《かあさま》
誰《だれ》がお母様《かあさま》よ！
あんなバカ娘 産んだ覚えはない！
今日《きょう》は特別《とくべつ》だよ
おれは明日《あした》から2か月《げつ》
仕事《しごと》で海外《かいがい》だから
誕生日《たんじょうび》の
くり上《あ》げ祝《いわ》いだ
大目《おおめ》に見《み》てよ
あ
そっか誕生日《たんじょうび》！
忘れてた
忘《わす》れ
ないでよ
分《わ》かった
今日《きょう》の所《ところ》は
大目《おおめ》に見《み》るよ
今日だけね
ありがとう
淳《じゅん》ちゃん♡

次《つぎ》はどこへ行《い》きますか？奥様《おくさま》♡
ディオールオム♡
オム？
タクミとタク妻《つま》！
マジ？
タクミ来月誕生日《らいげつたんじょうび》でしょ？
今度《こんど》はあたしがタクミにプレゼントを買《か》うの♡
おれがやった小遣《こづか》いで
なんか意味《いみ》あんの？それ
あたしが見立《みた》てる所《ところ》に意味《いみ》があるのよ
……
無駄遣《むだづか》いはやめなさい
淳ちゃんにおこられるよ？
カチ
カチ
カチ
カチ

カチッ
ヴロロロロ…
煙草《たばこ》なんか吸《す》わねえくせに
そんなもんまで持《も》ち歩《ある》かなくていーよ
イライラする
付《つ》かないライターにもまとわりつくヤブ蚊《か》にも
苛立《いらだ》つあたしに気《き》を遣《つか》う美里《みさと》にまで
なんでこんなに何《なに》もかもに苛立《いらだ》つんだ

いや原因《げんいん》は分《わ》かってる
でも色々《いろいろ》ありすぎて何《なに》がなんだかもうよく分《わ》からない
なんとかしなきゃ
このままじゃどんどん嫌《いや》なやつになるよ
美里《みさと》
はい
今日《きょう》はこのあとファッション誌《し》の撮影《さつえい》が一本《いっぽん》だけだよね？
他《ほか》のメンバーの予定《よてい》は？
はい
ヤスがガイアで打《う》ち合《あ》わせでノブとシンはメンズ誌《し》の取材《しゅざい》が一本《いっぽん》です

じゃーそのあと みんなでカラオケ 行《い》こう！
♪
え？
でもレンが新居《しんきょ》で ナナさんの帰《かえ》りを 待《ま》ってますよ？
いーよ別《べつ》に
帰《かえ》ったって 飯作《めしつく》らされる だけだし
ホテル暮らしのが 楽だったよ
でも明日《あした》から ロンドンに行《い》って しまうんですよ？
だから今日《きょう》は早《はや》く 終《お》わるように 銀平《ぎんぺい》さんが調整《ちょうせい》 して下《くだ》さって
あんな録《と》り 一本《いっぽん》じゃ 歌《うた》い足《た》り ねぇよ
なんでこんなに 歌《うた》える仕事《しごと》が 少《すく》ねぇんだよ
それより 歌《うた》いてぇん だよ！
あたしは モデルでも タレントでも ねぇぞ？
何故かファッション誌だ
そう ですよね
すみません…
……
いや あんたが 謝《あやま》る事《こと》 ねぇから
あんたは よくやって くれてるよ 美里《みさと》
カラオケで思《おも》いっきり 歌《うた》えばきっと スッキリするから

じゃ——
レンと2人《り》で行《い》けば？
そーですね！
よけーな口出《くちだ》しすんな日高《ひだか》
てめぇは黙《だま》って運転《うんてん》してりゃいーんだよ
はい…
すいません
じゃ——
レンも誘《さそ》ってみんなで行《い》きましょう！
まあ いつか
2人《り》きりじゃなければ
カラオケ
おはようございまーす♡
業界あいさつ
何時だろうと「おはよう」

あらやだ
♪あまぎ〜っ
ごおおおお
えええええええ
パチパチパチパチパチ
百合《ゆり》さーん♡
アニメソング
百合《ゆり》さん
どーぞこちらに
はっ
生《なま》レン！
ラッキィ♥
浮気者《うわきもの》
ノブなら帰《かえ》ったわよ
知《し》ってるよ
でも根詰《こんつ》めて曲書《きょくか》いてるみたいだから邪魔《じゃま》しちゃ悪《わる》いと思《おも》って
殊勝《しゅしょう》だな
あたしこう見《み》えても尽《つ》くすタイプなんですぅ♡
……
まさかミューまで来《く》るんじゃないでしょうね
携帯《けいたい》にメール入《い》れといたけど
どうかな
カラオケはな
誰《だれ》？ミューって
事務所《じむしょ》の先輩《せんぱい》
あん
鎌倉《かまくら》のパーティーにも来《き》てたわよ？
一応女優《いちおうじょゆう》さんなんだけど
売れてないから知らないわ

ヤスの女《おんな》だよ
え？
ピルル――♪
ああ美《み》雨《う》？撮影《さつえい》終《お》わった？
じゃあ今《いま》すぐ来《こ》いよ
……
ね――
誰《だれ》も曲入《きょくい》れてないのー？
あたし歌《うた》っていいー？
初《はじ》めまして
篠《しの》田《だ》美《み》雨《う》です

ミューさんシノダって言《い》うんだ
今知ったよ
本名《ほんみょう》がね
芸名《げいめい》は美雨《みう》だけ
おれ便所《べんじょ》行《い》って来《く》る
銀平《ぎんぺい》が歌《うた》ってるスキに
なんですって?
聴いてよダーリン!
あたしも♡
……
べっぴんさんだね
ヤスってつくづく面食《めんく》いだよね♡
たまたまだよ
まあキレイにこしたこたねえけど
でもあんなちっちゃいとヤリにくくない?
君はおっきいのに
……
おまえが聞《き》きてえのはそんな事《こと》じゃねぇだろ
言《い》いたい事《こと》があるならハッキリ言《い》えよ

レイラの事《こと》はもーいいの？
レイラ？
ナナの事《こと》じゃねぇよ
ナナはおれがなんとかする
おまえには死《し》んでも渡《わた》さねぇ
でもレイラにはやっぱりハゲしかいないと思《おも》ってたのに……
裏切りもの
そんな事《こと》今更《いまさら》勝手《かって》に思《おも》われてもな
ほんとにどいつもこいつも

心配《しんぱい》じゃねぇの？
タクミの結婚《けっこん》の事《こと》も話題《わだい》になってるし
けなげにがんばってるけど痛々《いたいた》しいよ？
心配《しんぱい》は心配《しんぱい》だけど
おれが構《かま》うとあいつは未《いま》だに過剰《かじょう》に期待《きたい》するから
応《こた》えてやれねぇのに優《やさ》しくは出来《でき》ねぇよ
ピルルー
追加注文《ついかちゅうもん》お願《ねが》いします
この曲《きょく》あたし──♡
アキちゃ〜ん♡
……
舟唄
いっそ新曲《しんきょく》は演歌《えんか》にしたらどうかしら
ウケるかも
シンちゃん携帯《けいたい》鳴《な》ってるよ？
いーんだよ

じゃ――
切《き》っとけよ
うるせぇ
から
ピルルー
パチン

シンちゃん!
いいかげんにしてよ
非常口
電話《でんわ》もメールもして来《こ》ないで
会《あ》わないって言《い》ったのはそっちじゃん
でもシンちゃんの事《こと》は好《す》きなの お願《ねが》い分《わ》かって
電話《でんわ》で話《はな》せるだけでもあたしはうれしいよ
そんな事《こと》されてもこっちは会《あ》いたくなるだけだよ
勝手《かって》な女《ひと》だな
ピッ

歌《うた》っても
歌《うた》っても
歌《うた》っても
声《こえ》が嗄《か》れて行《い》くだけ
苛《いら》立《だ》ちは収《おさ》まらない

他人《ひと》は自分《じぶん》の思《おも》い通《どお》りになんかならない
泣《な》いても
叫《さけ》んでも
すがりついても
あたし以外《いがい》の女《おんな》に曲《きょく》なんか書《か》かないで

レンは結局《けっきょく》また
あたしを置《お》いて
行《い》つてしまうん
じゃない
プチッ!

やっぱりナナの作《つく》る味噌汁《みそしる》が一番《いちばん》うめぇな
しょっぱくて♡
そんな事《こと》誉《は》められても別《べつ》にうれしくないし
ピンポーン
木下《きのした》でしょ？出《て》なよ
おまえはおれがトラネスを抜《ぬ》けてロンドンに行《い》かないっつったらそれで満足《まんぞく》なの？
ピンポーン

ハチ子《こ》が子供《こども》堕《お》ろしてタクミと別《わか》れたらそれで満足《まんぞく》なのか？
ピンポーン
ヤスが一生《いっしょう》独《ひと》り身《み》でおまえのそばにいてくれたらそれで満足《まんぞく》なのかよ
ピンポーン
うるっせーなも――

ピルル～～♪
おとなしく車《くるま》で待《ま》ってろ!
はい すいません!
ピッ
そーだよ…
それが独《ひと》りよがりな あたしの望《のぞ》み
でも そーじゃなくて……
そーじゃねぇよな

おれもおまえが家《いえ》で味噌汁《みそしる》作《つく》って待《ま》っててくれりゃそれで満足《まんぞく》なわけじゃねぇよ
おまえがそれを自《みずか》ら望《のぞ》んで幸《しあわ》せでなきゃ意味《いみ》がねぇんだ
無理強《むりじ》いしても虚《むな》しいだけだよ
でもあたしは…
ずっと歌《うた》っていたいし子供《こども》も欲《ほ》しくないし
レンの望《のぞ》む事《こと》は自《みずか》らは望《のぞ》めないよ
分《わ》かってるよ
それはお互《たが》い様《さま》だ
おれが上京《じょうきょう》したのはプロのギタリストになれるチャンスだと思《おも》ったからだけど
今《いま》はトラネスでなきゃと思《おも》ってるしメンバーは誇《ほこ》りなんだ

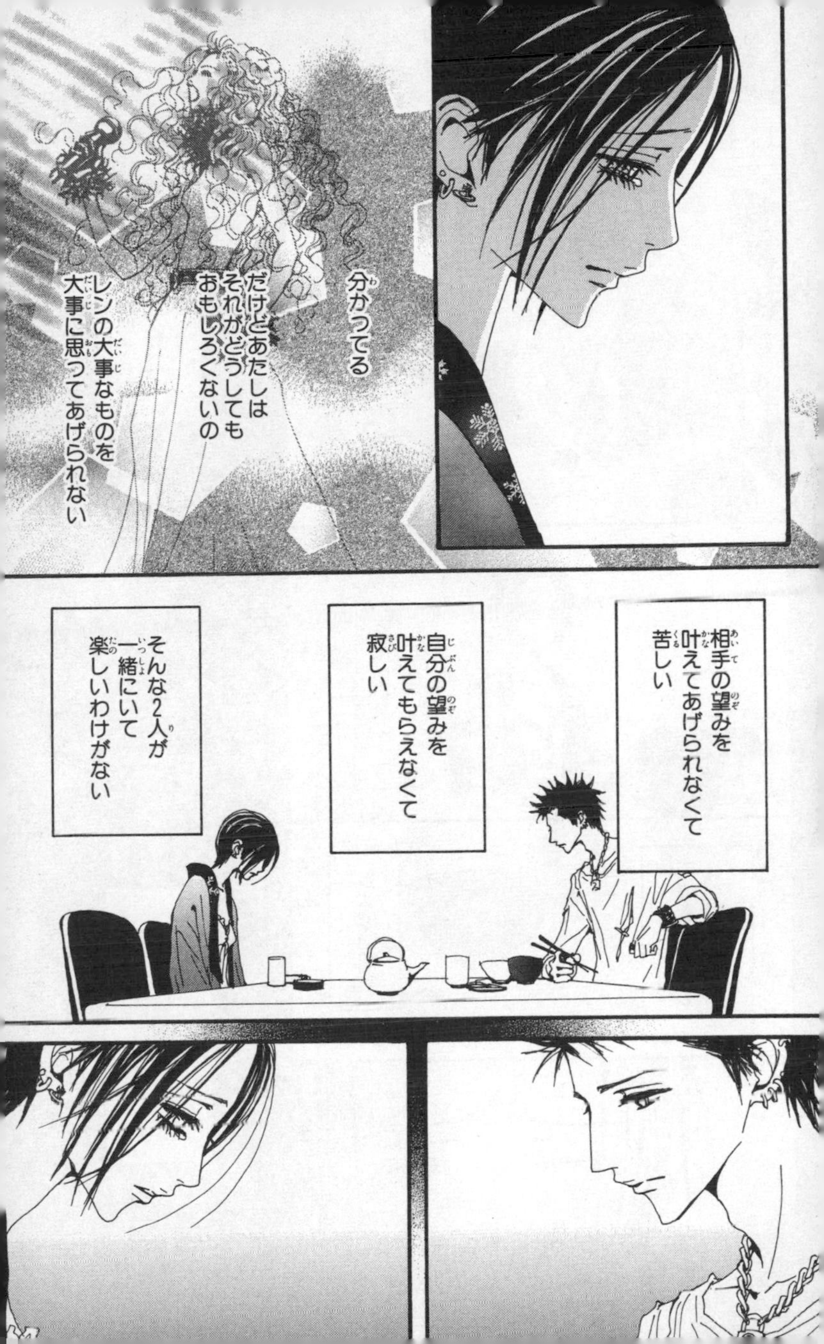
分《わ》かってる
だけどあたしは
それがどうしても
おもしろくないの
レンの大事《だいじ》なものを
大事《だいじ》に思《おも》ってあげられない
相手《あいて》の望《のぞ》みを
叶《かな》えてあげられなくて
苦《くる》しい
自分《じぶん》の望《のぞ》みを
叶《かな》えてもらえなくて
寂《さび》しい
そんな2人《り》が
一緒《いっしょ》にいて
楽《たの》しいわけがない

終《お》わりだ
今度《こんど》こそ本当《ほんとう》に
カチャッ
ごちそうさま
しょぼい朝食《ちょうしょく》
卵焼《たまごや》きも焼《や》いてあげればよかった

最後《さいご》まで
あたしは
ナナ
じゃ――
行《い》って来《く》るから
毎週《まいしゅう》ジャンプ
買《か》っといてね
お安《やす》いご用《よう》だ

パタン
……
最後《さいご》じゃねぇのかよ
ずっ
でも
戻《もど》って来《き》ても
同《おな》じだと
思《おも》うんだけど
Seven Stars

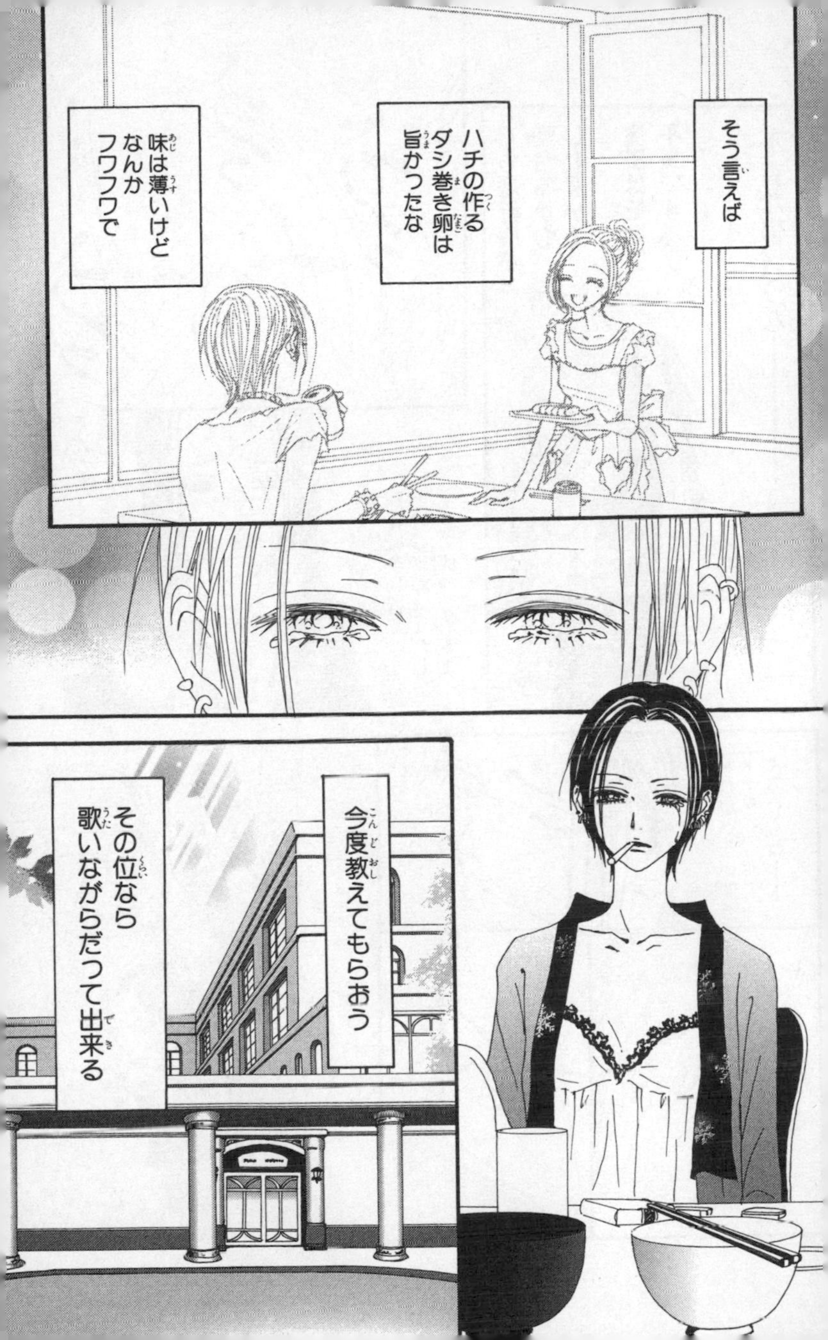

そう言《い》えば
ハチの作《つく》るダシ巻《ま》き卵《たまご》は旨《うま》かったな
味《あじ》は薄《うす》いけどなんかフワフワで
今度《こんど》教《おし》えてもらおう
その位《くらい》なら歌《うた》いながらだって出来《でき》る

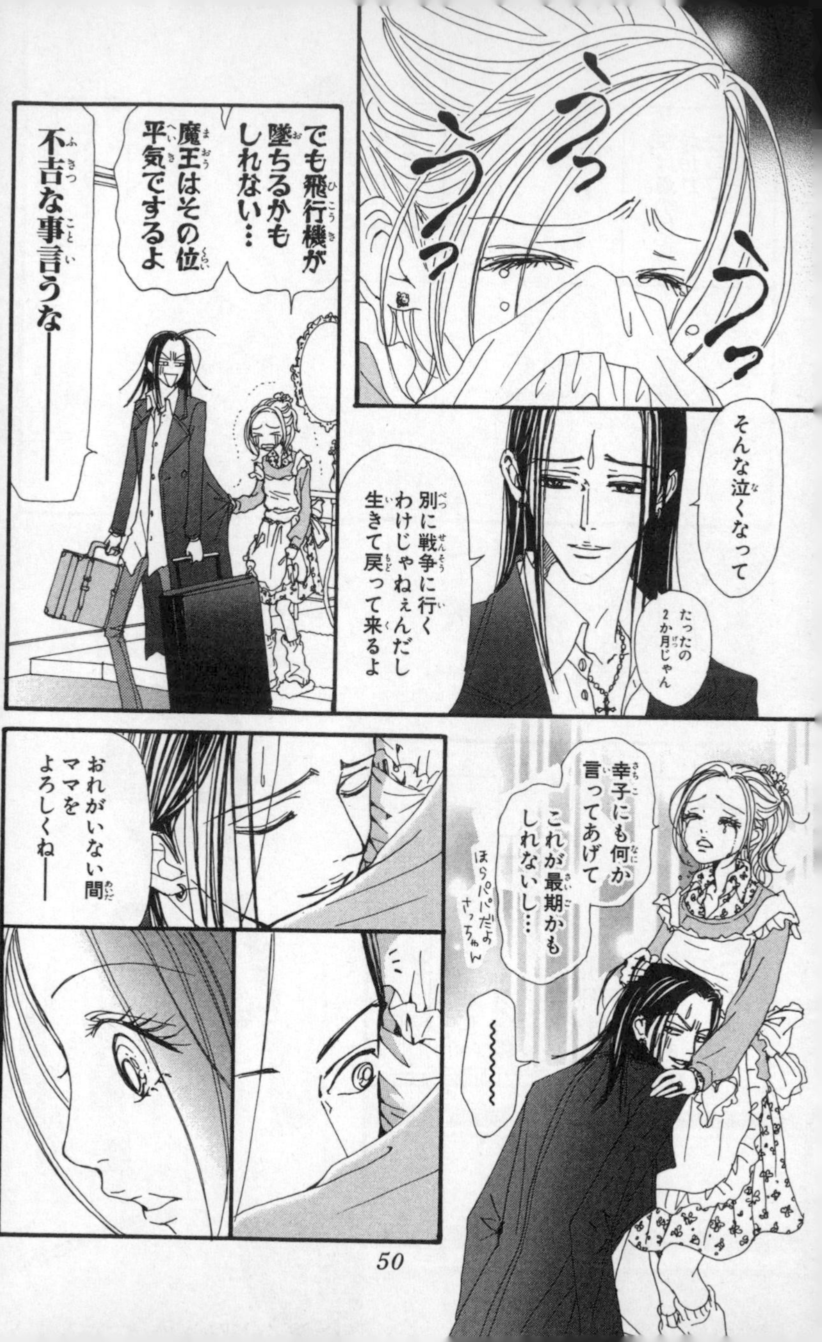
うっ
うっ
うっ
そんな泣《な》くなって
たったの2か月《げつ》じゃん
別《べつ》に戦争《せんそう》に行《い》くわけじゃねぇんだし生《い》きて戻《もど》って来るよ
でも飛行機《ひこうき》が墜《お》ちるかもしれない…
魔王《まおう》はその位《くらい》平気《へいき》でするよ
不吉《ふきつ》な事《こと》言《い》うな――
幸子《さちこ》にも何《なに》か言ってあげて
これが最期《さいご》かもしれないし…
ほらパパだよさっちゃん
〜〜〜
おれがいない間《あいだ》ママをよろしくね――

動《うご》いた――!!
さっちゃんがお返事したよ?
ねえ分かった?
頼《たの》もしいやつだな
幸子《さちこ》はやっぱり男《おとこ》だろ
行《い》ってきまーす♡
ねえ ハチ
ハロ――!
エヴリバディ♡
おっせーよナオキ!
つーか来《こ》なくていい!ドラマーは向《む》こうで探《さが》す!
楽《たの》しみだねイギリス♡
も早第《はやだい》2の祖国《そこく》だよ♡
キャピキャピ♪
つまんない
あと1か月《げつ》早《はや》かったら今年《ことし》もハロウィンとガイ・フォークスで盛《も》り上《あ》がれたのにね

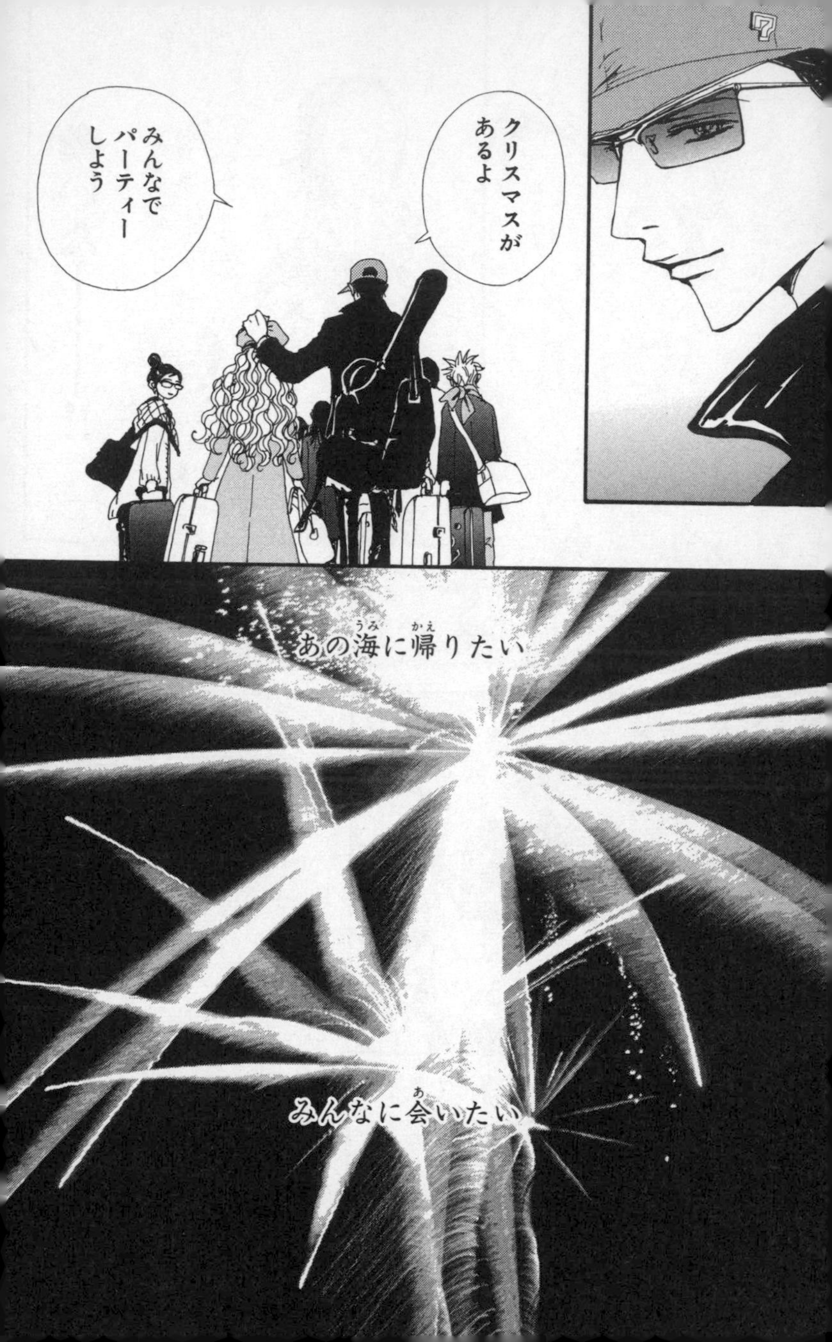
クリスマスがあるよ
みんなでパーティーしよう
あの海《うみ》に帰《かえ》りたい
みんなに会《あ》いたい

レンの部屋《へや》から運《はこ》んだ
荷《に》物《もつ》を解《ほど》いていたら
まるで出《て》番《ばん》を
見《み》計《はか》らったように
ハチに渡《わた》しそびれていた
いちごのグラスが出《て》て来《き》た

NANA
――ナナ――
［第《だい》59話《わ》］

週刊SEARCH
編集部

倉田《くらた》
おまえ今夜《こんや》から
ナナの地元《じもと》に飛べ
ヒュ～～
……
またの？
文句《もんく》言《い》うな！
いや
言《い》ってま
せんけど
態度《たいど》に
出《で》てんだよ！
ポケットに手をつっこむな！
行《い》きますけど
今度《こんど》は
なんですか？

ナナの母親《ははおや》が口《くち》を割《わ》らねぇとなると知人《ちじん》の証言《しょうげん》集《あつ》めて記事《きじ》にするしかねぇだろ
一足先《ひとあしさき》に三宅《みやけ》も行《い》ってるから大阪《おおさか》までの美鈴《みすず》の足取《あしど》りを追《お》え
上原美鈴《うえはらみすず》の事《こと》ならもう調《しら》べはついてるんでしょ？
情報屋《じょうほうや》から仕入《しい》れた材料《ざいりょう》だけでおもしれぇ記事《きじ》なんか書《か》けるか！
イキのいいネタを大量《たいりょう》に釣《つ》って来《こ》い！
でもおれカメラマンなんスけど
何度も何度も何度も言うけど
記事《きじ》はブラストのファーストアルバムの発売日《はつばいび》を狙《ねら》って載《の》せるぞ
聞いてねぇや
トラネスがロンドンでのんびり羽伸《はねの》ばしてる間《あいだ》にブラストを盛《も》り上《あ》げて巻《ま》き返《かえ》してやんねぇとな

コツ…
707
ガチャ
どさっ
重《おも》～～～

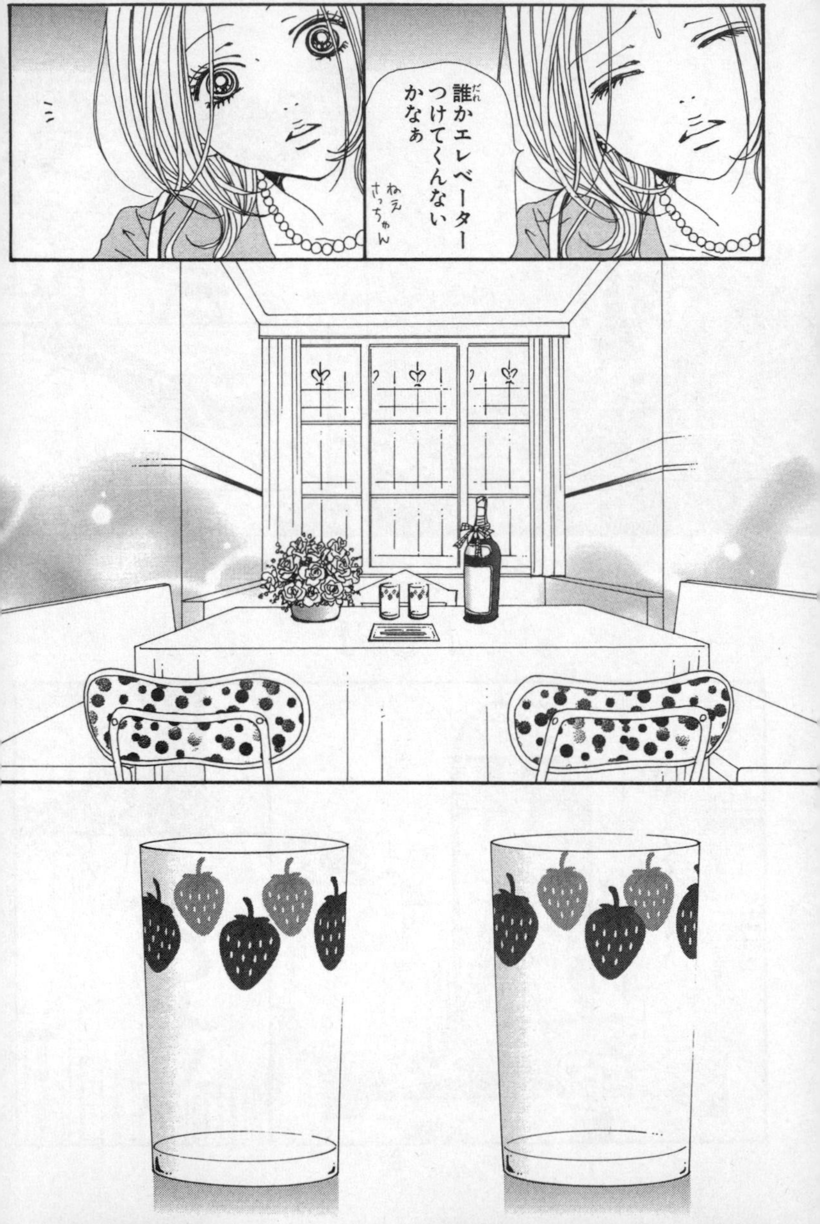
誰《だれ》かエレベーターつけてくんないかなぁ
ねえ さっちゃん

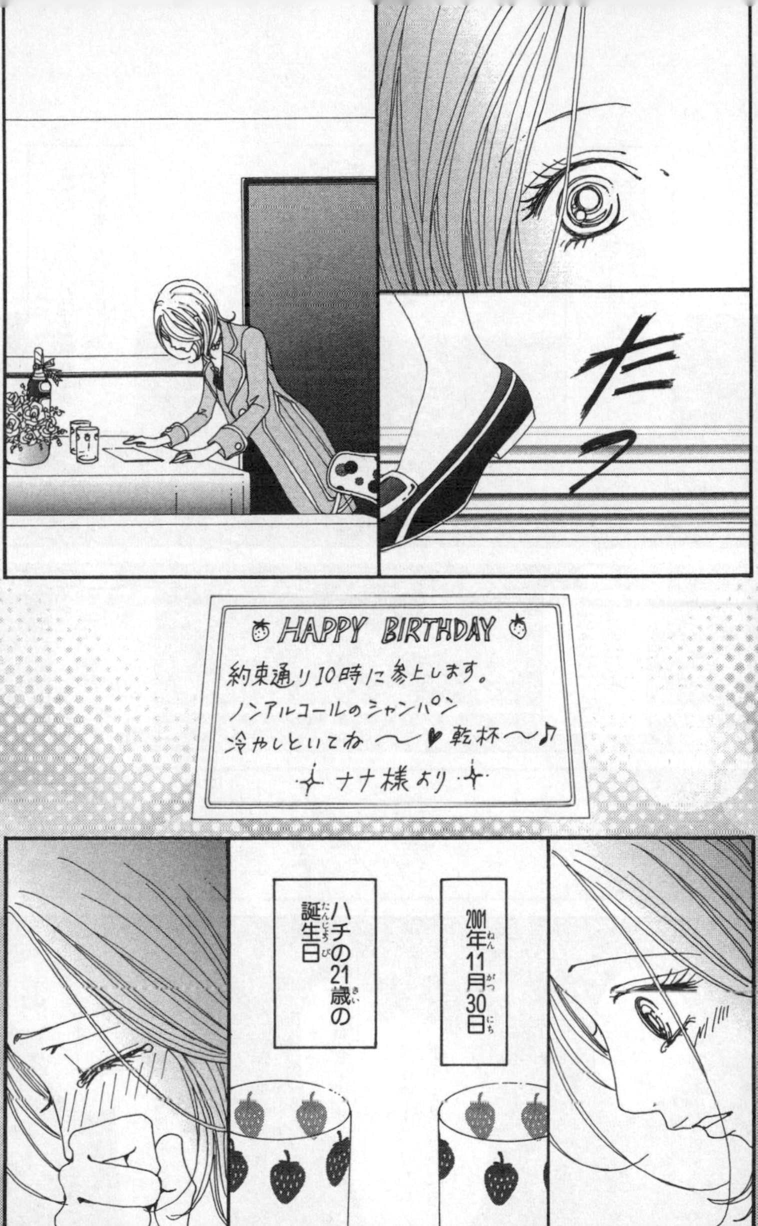
たっ
HAPPY BIRTHDAY
約束通り10時に参上します。
ノンアルコールのシャンパン
冷やしといてね～♥乾杯～♪
ナナ様より
2001年《ねん》11月《がつ》30日《にち》
ハチの21歳《さい》の誕生《たんじょう》日《び》

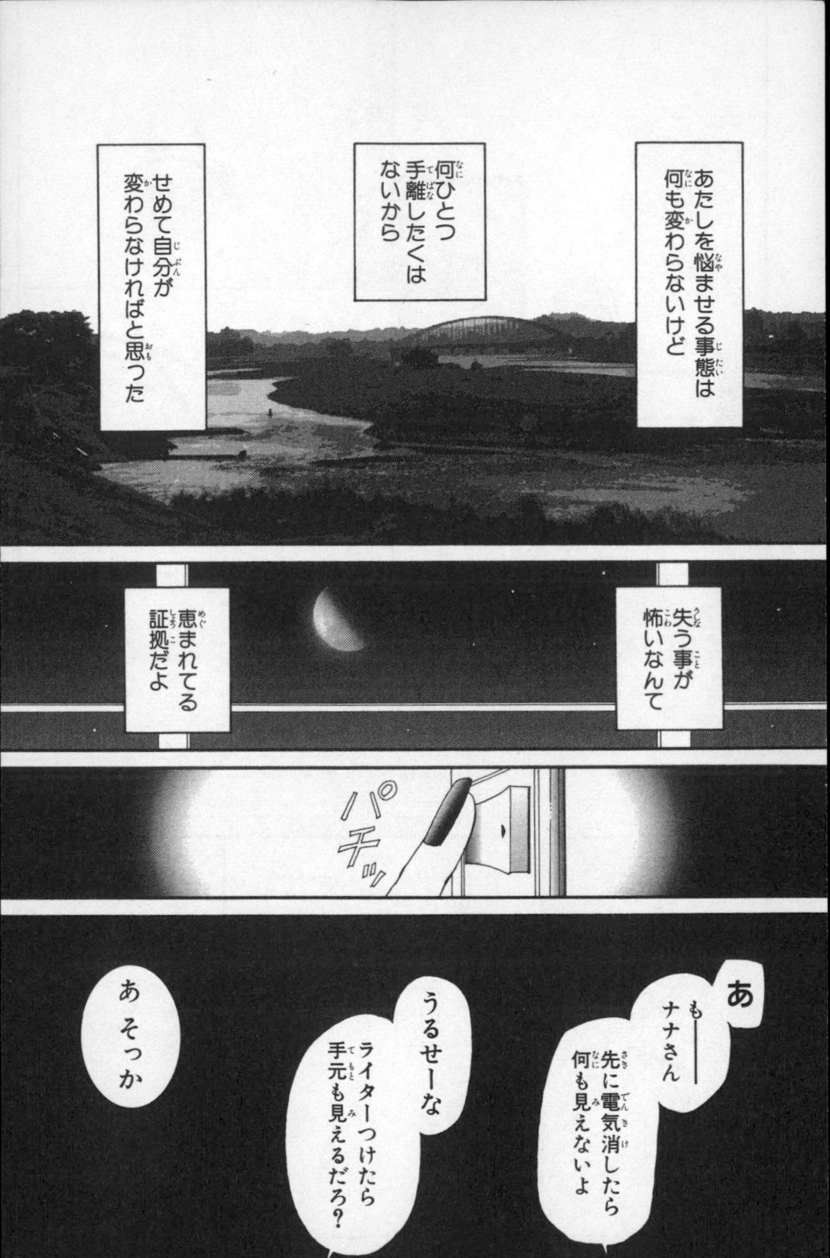
あたしを悩《なや》ませる事態《じたい》は何《なに》も変《か》わらないけど
何《なに》ひとつ手離《てばな》したくはないから
せめて自分《じぶん》が変《か》わらなければと思《おも》った
失《うしな》う事《こと》が怖《こわ》いなんて
恵《めぐ》まれてる証拠《しょうこ》だよ
パチッ
あ
も——ナナさん
先《さき》に電気《でんき》消《け》したら何《なに》も見《み》えないよ
うるせーな
ライターつけたら手元《てもと》も見《み》えるだろ?
あ そっか

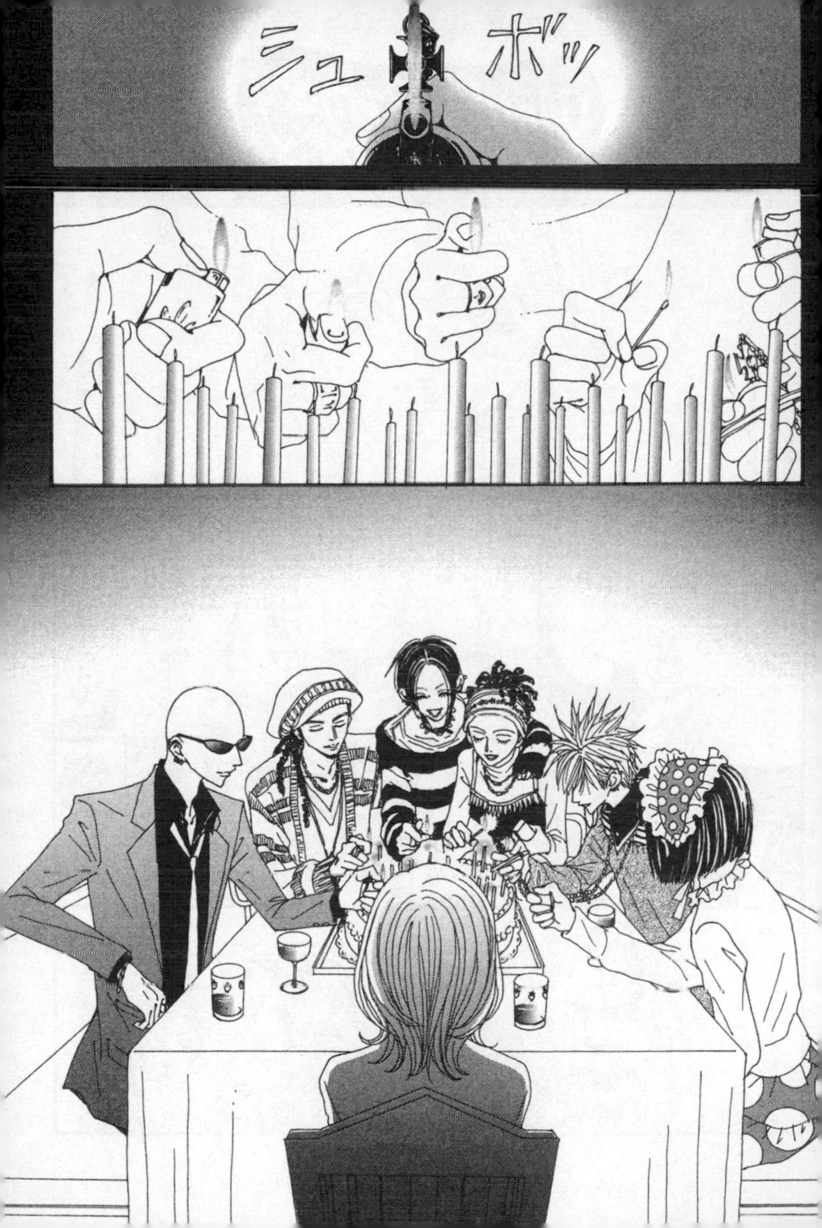
シュボッ

Happy Birthday
ハチ公
きれいですねー♡
ケーキ屋《や》の人《ひと》絶対犬用《ぜったいいぬよう》だと思《おも》ったよね
「ハチ公」
あはははは
……
中味《なかみ》がドッグフードじゃねえだろうな
食えるのか？
よし！
じゃーみんなで歌《うた》いまーーす♪
何《なに》を？
バースデーソングだよ
マジボケ？
どんな歌《うた》？
知《し》らねぇの？
なんで？
しまった教えとくんだった
……
別《べつ》にそんなの歌《うた》わなくていいよ！

簡単《かんたん》だからすぐ覚《おぼ》えられるよ
英語だし
いっぺんリハーサルやるから
ちゃんと聴《き》いとけよ?
うん!
分《わ》かった♡
OK!
Let's sing all
one
two

娯楽室

HAPPY BIRTH DAY DEAR…
誰《だれ》の誕生日《たんじょうび》?
お帰《かえ》り朝海《あさみ》!
早《はや》かったね♡
みんなは?
仕事の?
美雨《みう》は部屋《へや》にいると思《おも》うけど
ヤッさんとシンはヤボ用《よう》で遅《おそ》くなるよ
銀平《ぎんぺい》から聞《き》いてるよ?
このくそ忙《いそが》しいのに噂《うわさ》のタク妻《つま》の誕生日《たんじょうび》パーティーなんだってね♡

！
そんなに祝《いわ》いたいなら行《い》けば？
〜〜〜〜
いやそんなに深《ふか》い意味《いみ》はねぇんだ
ちょっと一人《ひとり》だけ仲間外《なかまはず》れになって寂《さび》しかっただけで
そー思《おも》ったから一分《いっぷん》でも早《はや》く撮影《さつえい》が終《お》わるようにがんばって急《いそ》いで帰《かえ》って来《き》たのに！
あんまりだよ！
なんて優《やさ》しい女《おんな》なんだ…
幸《しあわ》せ者《もの》だよおれは
いや怒《おこ》ってんだけど
あやまりなさいよ
ありがとうおれは朝海《あさみ》がいれば生《い》きて行《い》けるよ
……
大好き♥

それより
どーだった?
新曲《しんきょく》
OK《オーケー》
もらえた?
うん…
きゃ
おめでと――!
よかったね♡
今夜はかまってね♡
でもおれ的《てき》には
ビミョーだよ
あざとく
ウケ狙《ねら》いで
書《か》いちゃって
たし
また色々言われそう
はー
自己満足《じこまんぞく》の
創作《そうさく》なら
誰《だれ》にだって
出来《でき》るよ
商業的《しょうぎょうてき》に求《もと》められる
曲《きょく》が書《か》ける方《ほう》が
プロとしては よっぽど
かっこいいと思《おも》うけど

だからあたしは……
売《う》れてもないくせに人《ひと》の事《こと》見下《みくだ》して仕事《しごと》選《えら》ぶようなミューさんみたいな人《ひと》は大《だい》っ嫌《きら》い
まあでもそーゆー考《かんが》え方《かた》は人《ひと》それぞれだから
おれはわが道を行くミューがうらやましいよ
誰《だれ》がなんと言《い》おうとブラストはかっこいいよ!
ナナちゃんもかっこいい!
香坂百合《こうさかゆり》もかっこいいよ
誰《だれ》がなんと言《い》おうと
しかしさあ…

なんでトラネスはアルバムのレコーディングをわざわざ海外《かいがい》でするわけ？
妊婦を置いて
ロンドンにいいエンジニアでもいるのかな
ハクがつくからじゃない？
気取りやがって
てゆーかね日本《にほん》より向《む》こうのが湿度《しつど》が低《ひく》いからビミョーに音《おと》の抜《ぬ》けがいいんだって
気候が影響するなんてビックリだよ
日本《にほん》はほんと湿気《しっけ》が多《おお》いもんね
なるほどね－
喫煙所
さすがこだわってんね－
あ
おれも一服《いっぷく》しよ♥
いや充分《じゅうぶん》早《はや》いよ
いつの間《ま》にレコーディングしたの？
そーゆー理由《りゆう》なんだ
……
知《し》らなかったよ
ブラストのアルバムは1月《がつ》9日《か》発売《はつばい》でしょ？
超楽しみ♡
ああ
年末《ねんまつ》の予定《よてい》だったんだけどズレ込《こ》んじゃって
シングル録《と》った直後《ちょくご》からプロモーションの合《あ》い間《ま》に録《と》り溜《だ》めしたんだよ
ちょろいもんよ

それにしたって早《はや》くない？
トラネスなんて今《いま》から録《と》って発売《はつばい》は4月《がつ》の予定《よてい》でしょ？
……
4月なんだ…
ブラストはボーカル以外《いがい》はみんなで一緒《いっしょ》に一発録《いっぱつど》りですし
トラネスはきっとトラックダウンとかにも立《た》ち合《あ》われるから時間《じかん》が掛《か》かるんですよ
そーなの？
え？
ブラストは立《た》ち合《あ》わないの？
僕《ぼく》らはそんな余裕《よゆう》ないし
それタクミ的にはありえないよ
権限もないし
何《なに》？トラックダウンって
話について行けない!!
てゆーかトラネスって楽器《がっき》も個別《こべつ》で録《と》るの？
普通《ふつう》はそーだよ
でないと色々《いろいろ》細《こま》かく調整《ちょうせい》出来《でき》ないし
へーー
なんかよく分《わ》かんないけど色々《いろいろ》詳《くわ》しいね奈々《なな》
カタ…
!
すっかりミュージシャンの妻《つま》って感《かん》じ
でもブラストはライブ感《かん》が身上《しんじょう》ですからね！
アナログ盤も出すんですよ♡
ああ
なるほど
確《たし》かにその方《ほう》がいいかも！

ほんとは極妻《ごくつま》なのにね
「タク妻」ってのはもじりなんでしょ?
……
タクミがハチにそんな話《はなし》までしてるのは正直《しょうじき》意外《いがい》で
考《かんが》えてみればあたしは
ハチがあの白金《しろかね》の家《いえ》でどんな暮《く》らしをしているのかもよく知《し》らなくて
ハチがまた少《すこ》し遠《とお》くなった
お
いらっしゃい♡
だけどそれはあたしが聞《き》かないからだ
レンに直接《ちょくせつ》聞けよ
いちいちおれを通《とお》して会話《かいわ》するな

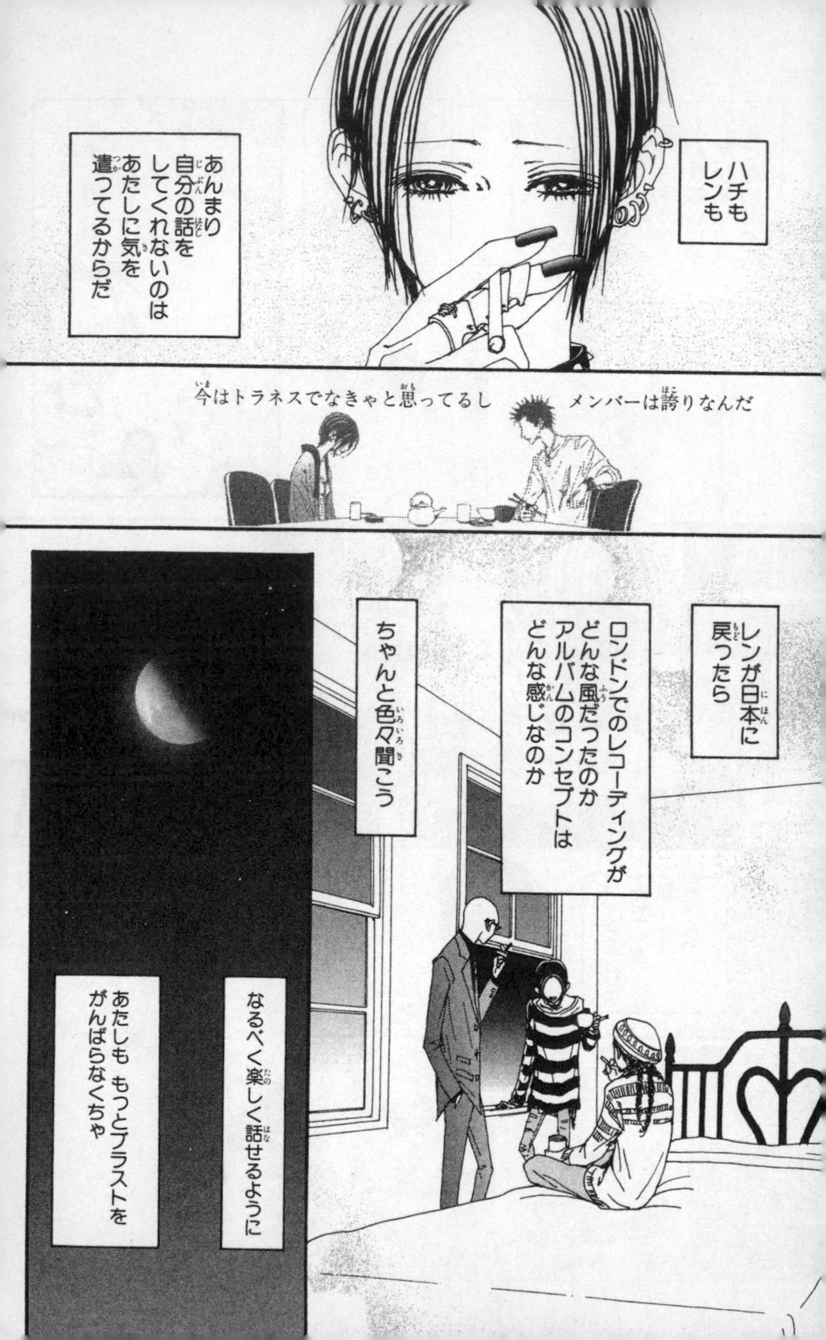

ハチも
レンも
あんまり
自分《じぶん》の話《はなし》を
してくれないのは
あたしに気《き》を
遣《つか》ってるからだ
今《いま》はトラネスでなきゃと思《おも》ってるし
メンバーは誇《ほこ》りなんだ
レンが日本《にほん》に
戻《もど》ったら
ロンドンでのレコーディングが
どんな風《ふう》だったのか
アルバムのコンセプトは
どんな感《かん》じなのか
ちゃんと色々《いろいろ》聞《き》こう
なるべく楽《たの》しく話《はな》せるように
あたしも もっとブラストを
がんばらなくちゃ

自分《じぶん》のプライドが保《たも》てるように
そこだけはどうしても変《か》われない
ナナちゃんが美雪《みゆき》さんとこに来《き》た時《とき》はほんとにびっくりしたよ
小《ちい》さい頃《ころ》の鈴《すず》ちゃんにうりふたつでね

スズちゃん？
ああ
はいはい
美鈴《みすず》ちゃんだよ
鈴《すず》ちゃんもナナちゃんと同《おな》じ様《よう》にいつも店《みせ》の手伝《てつだ》いしてたけど
あんまり親子仲《おやこなか》が上手《うま》く行《い》ってるようには見《み》えなかったね
そうなんですか？
美雪《みゆき》さんは客《きゃく》には愛想《あいそう》いいんだけど
子供《こども》には厳《きび》しすぎるって飲《の》み仲間《なかま》はみんな言《い》ってたよ
………
子供《こども》ってのはさ愛情《あいじょう》でしっかりとこう包《つつ》み込《こ》んであげてね
その上《うえ》で世《よ》の中《なか》のルールを教《おし》えてやんねぇと
甘《あま》やかしゃいいってもんでもねぇし厳《きび》しくすりゃいいってもんでもねぇよ
なる程《ほど》――
今日《きょう》は勉強《べんきょう》になるな――
そうかい？
鈴《すず》ちゃんが18の時《とき》男《おとこ》と駆《か》け落《お》ちしたって噂《うわさ》はご存知《ぞんじ》ですか？

……
そうなの？
美雪《みゆき》さんは東京《とうきょう》で就職《しゅうしょく》する為《ため》だとか言《い》ってたけど……
じゃあ そいつがナナちゃんの父親《ちちおや》なの？
いや
そいつとはすぐダメになったみたいなんですけどね
まあ参考までに
ダメだ この親父《おやじ》
使えねー
しかし あのナナちゃんがこんな有名人《ゆうめいじん》になっちまうなんて
ほんと びっくりするよ
ナナが美鈴《みすず》さんの子供《こども》だって事《こと》は常連客《じょうれんきゃく》はみんなご存知《ぞんじ》だったんですね？
そりゃそうだよ
3つか4つの頃《ころ》突然《とつぜん》やって来《き》て
美雪《みゆき》さんも そこはさすがに鈴《すず》ちゃんの子《こ》だって正直《しょうじき》に言《い》ってたよ
一目瞭然だったしね
美鈴《みすず》さんはなんでナナを預《あず》けたまま行方《ゆくえ》を眩《くら》ましたんでしょうか

知《し》らねぇよ そんなの
どんな事情《じじょう》があろうと 子供《こども》ほったらかしちゃ いけねぇよ
まったくも〜 近頃の親はよ
そ〜ですよね〜
〜〜〜〜〜…
でも源《げん》さんなら 詳《くわ》しく知《し》ってるかも しれねぇな
何《なに》せ美雪《みゆき》さんとは 恋仲《こいなか》だって噂《うわさ》だったし
ゲンさんも 常連客《じょうれんきゃく》の 一人《ひとり》ですか?
そーだけど
紹介《しょうかい》して 頂《いただ》け ませんか?
いや無理《むり》だよ
あの人《ひと》は一人《ひとり》で 黙々《もくもく》と飲《の》んでる タイプで特《とく》に 話《はな》した事《こと》もねぇし
おれは『美雪《みゆき》』が 閉《し》まる頃《ころ》にはすっかり 足《あし》が遠《とお》のいてたし 向《む》こうはおれの事《こと》なんか 覚《おぼ》えちゃいねぇよ
ゲンさんの フルネームは ご存知《ぞんじ》ですか?
字は源《ミナモト》?
いやあ…
源《げん》さんと 呼《よ》ばれるからには 源一《げんいち》とか源二郎《げんじろう》とか そんな名前《なまえ》だったと 思《おも》うけど…

なる程《ほど》―――
そりゃそーだ
そーかなあ 名字《みようじ》が源《みなと》さん なのかもよ？
いや名字《みようじ》は 間違《まちが》いなく 都築《つづき》だよ
『都築物産《つづきぶつさん》』の 社長《しやちよう》さん！
マネージャーの 都築《つづき》 舞《まい》です
よろしく お願《ねが》いします
コーポレーシ
都築 舞
え？
タレント さんじゃ ないんだ
……
なんであたしの インタビューに 別《べつ》のタレントが ひっついて 来《く》んだよ！
そんなわけ ねえじゃん

いや新手《あらて》の売《う》り込《こ》みかと思《おも》ってさ
あんたに売《う》り込《こ》んでいったい何《なん》の得《とく》があるの？ 金田《かねだ》ちゃん
……
なんだと？
売《う》れっ子《こ》音楽《おんがく》ライターつかまえてよくそんな口《くち》がきけるな
何様《なにさま》のつもり？
てめえこそ何様《なにさま》だ！
あの
あまり遊《あそ》んでる時間《じかん》はありませんのでさっさと始《はじ》めて下《くだ》さい
ヴロロロロ…
楽《たの》しい取材《しゅざい》でしたね♡
やっぱり音楽《おんがく》専門《せんもん》のライターの方《かた》は違《ちが》いますね
そうか？
でも他《ほか》があまりに的外《まとはず》れで同《おな》じような質問《しつもん》ばかりだし…
あいつはただのゲームおたくだぞ
ゲームライターになれよ

あ
すみません お疲《つか》れの所《ところ》 話《はな》しかけて
大丈夫《だいじょうぶ》 だよ
そんな気《き》ィ 遣《つか》うなって
そーいや 楽《たの》しみだねツアー♡
5か所《しょ》と言《い》わず 全国回《ぜんこくまわ》りてぇよ
もーーウッキウキ♪
その前《まえ》に倒《たお》れない為《ため》にも 今《いま》は寝《ね》て下《くだ》さい
でも年末《ねんまつ》はテレビの 仕事《しごと》も増《ふ》えるし来年《らいねん》は ツアーも控《ひか》えていて この先《さき》ますますハードに なりますから
せめて移動中位《いどうちゅうくらい》は 寝《ね》て下《くだ》さい
それより ちょっと ケータイ貸《か》して くんない？
ピルル〜♪
妊婦体操

美里(舞)
はいはい 奈々《なな》でーす♡
あらやだ 同《おな》じ名前《なまえ》?
ナナ!?
やだ銀平語《ぎんぺいご》が伝染《うつ》っちゃった
どうしましょう
元気《げんき》ー?
くす くす くす
まあね あんたは? 今何《いまなに》してたの?
妊婦体操《にんぷたいそう》♡
妊婦《にんぷ》が運動《うんどう》なんかしていーのかよ
は?
した方《ほう》がいーんだよ? 今度《こんど》ヨガにも通《かよ》うし
妊婦ヨガ
……へー

だからヨガマットとかウエアとかも買《か》っちゃった♡
ルン♫
なんだか分《わ》かんねぇけど元気《げんき》そうで何《なに》よりだよ
じゃ——ね♡
何《なに》それ！何《なん》の用《よう》？
用《よう》がなきゃかけちゃいけねぇのかよ
またいつでもかけてね！
ヒマだし♡
はいはい
携帯《けいたい》買《か》おっかな

じゃあ美里《みさと》が撮影《さつえい》の合《あ》い間《ま》にでも買《か》っておきます！
またレンとお揃《そろ》いのやつでいいですか？
それは嫌《いや》
プイッ
じゃあどんな機種《きしゅ》がいいですか？
海外《かいがい》にもかけれるやつとかねぇの？
探《さが》しておきます！
もうお揃《そろ》いじゃなくてもいい
もう同《おな》じじゃなくてもいいから

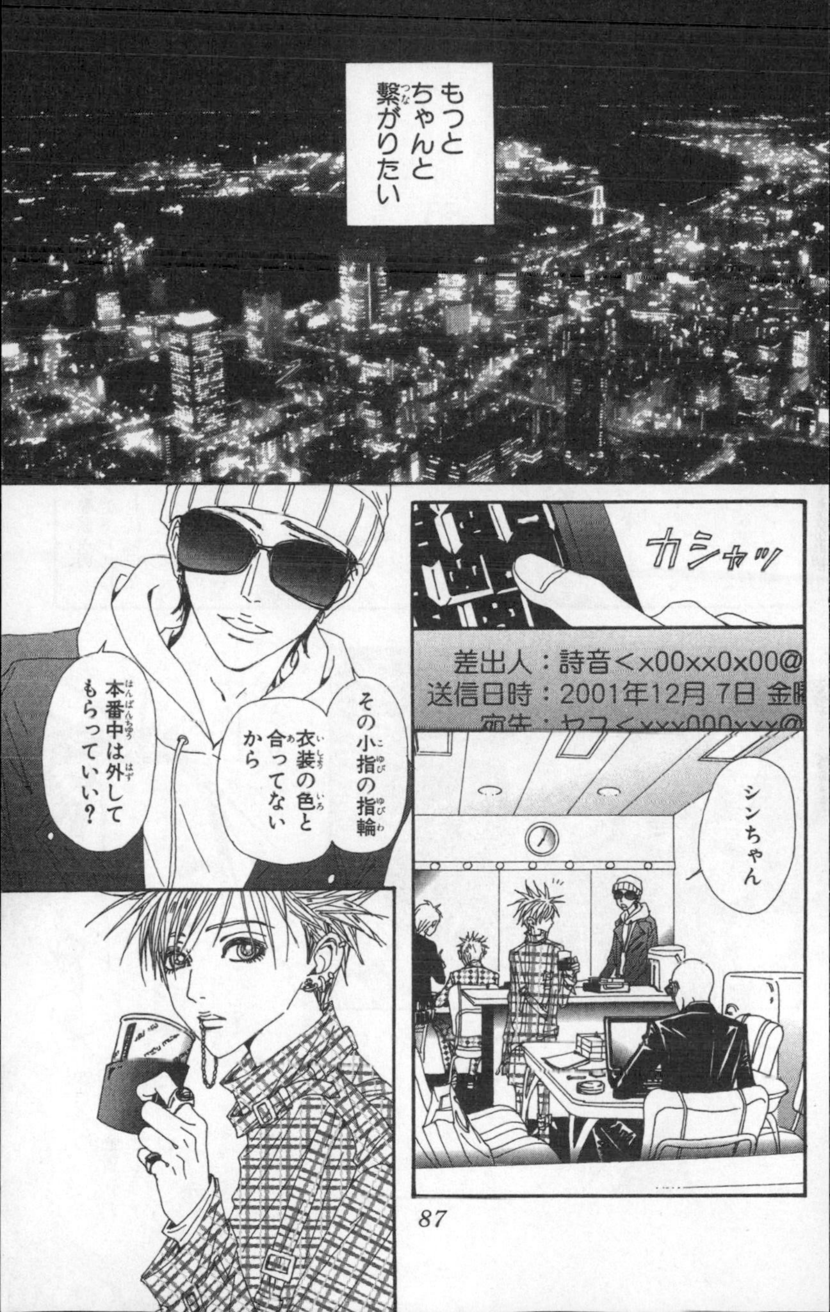
もっと
ちゃんと
繋《つな》がりたい
カシャッ
差出人：詩音＜×00××0×00@
送信日時：2001年12月 7日 金
シンちゃん
その小指《こゆび》の指輪《ゆびわ》
衣装《いしょう》の色《いろ》と合《あ》ってないから
本番中《はんばんちゅう》は外《はず》してもらっていい？

うん
分《わ》かってる
ごめんね
ううん
銀《ぎん》ちゃん
謝恩会《しゃおんかい》の招待状《しょうたいじょう》の作成《さくせい》って誰《だれ》がやってんの？
美里《みさと》ちゃん？
ううん
あの子《こ》も忙《いそが》しいからね
バイトちゃんにやらせてる
じゃあ事務所《じむしょ》のメインアドレスに転送《てんそう》すればいい？
詩音《しおん》から出席者《しゅっせきしゃ》の名簿《めいぼ》が届《とど》いたから
あら よかった♡
助かったわー♪
至急《しきゅう》作業《さぎょう》進《すす》めるように電話《でんわ》入れとくわね
ねーー ハゲ♡
謝恩会《しゃおんかい》の出席者全員《しゅっせきしゃぜんいん》決《き》まったんだってね
アキコとヨーコも来《く》る？
ハゲ？
おはよーございまーす♪
いや
あの2人《り》は来《こ》れねぇよ

え!? なんで!?
元はと言えばあいつらの為に……
なんか高校《こうこう》の卒業《そつぎょう》がヤバイらしいよ?
でも24日《か》は祭日《さいじつ》じゃん?
追試《ついし》とか補習《ほしゅう》とか色々《いろいろ》あるんだよ
でも あの子《こ》が来《く》るよ
大阪《おおさか》の上原美里《うえはらみさと》
おまえ手紙《てがみ》失《な》くしたって残念《ざんねん》がってたろ
よかったな
なんで!?
詩音《しおん》にベッドで話《はな》したのね?
いや話《はな》してねえけど
じゃー なんで?
そんな驚《おどろ》く程《ほど》の事《こと》でもねぇだろ
ミューさんに言ってやろ!
なんでよ!
おまえが沢山《たくさん》もらったファンレターの中《なか》からその子《こ》の事《こと》が印象《いんしょう》に残《のこ》ったのは
美里《みさと》ちゃんと同《おな》じ名前《なまえ》だったからだろ?
地元《じもと》の追《お》っかけのやつらの印象《いんしょう》にも残《のこ》って当然《とうぜん》だよ

……
ラッキーな子《こ》だな
でも だとしたら本当《ほんとう》に当《あ》たってない？
「ナナさんとお近《ちか》づきになれる姓名判断《せいめいはんだん》」！
……
そーいやそーだな
大魔王《だいまおう》のお導《みちび》き？
道頓堀

BLACK STONES
え!?
東京《とうきょう》!?
CK STONES
しー
声《こえ》デカイってお兄《にい》ちゃん お父《とう》ちゃん達《たち》に聞《き》かれるやん
親《おや》に内緒《ないしょ》で行《い》く気《き》か
ブラストのファンクラブのイベントっちゅーんはそんなにいかがわしいんか
ライブハウスでクリスマスパーティーするだけや
でも保護者《ほごしゃ》なしでそんな遠出《とおで》したらあかん言《い》うに決《き》まってるやん
当《あ》たり前《まえ》やボケ そんな嘘《うそ》は通用《つうよう》せんぞ
中学生《ちゅうがくせい》が彼氏《かれし》と2人《り》で旅行《りょこう》なんかおれも許《ゆる》さん

彼氏《かれし》なんかおらんし！
藤本《ふじもと》っちゃんとクララさんと3人《にん》や
クララ!?
誰やねん！
ブラストの追《お》っかけ連合《れんごう》の幹部《かんぶ》や関西支部隊長《かんさいしぶたいちょう》で高校《こうこう》3年生《ねんせい》
えらいんやねんで
そんな暴走族《ぼうそうぞく》みたいな肩書《かたが》きはともかくちゃんと名前《なまえ》にふさわしい儚《はかな》げな顔《かお》してるんやろうな
してへん
許《ゆる》さん
でも別《べつ》に泊《と》まりじゃなくてもええねん
なんや
ほな友達《ともだち》ん家《ち》行《い》くとか適当《てきとう》な事《こと》言《ゆ》うて出《で》かけて来《く》ればええやん
でも新幹線代《しんかんせんだい》がないねん
貸《か》して
パーティーは昼間《ひるま》やから朝出《あさで》れば間《ま》に合《あ》うし
夜《よる》もそんな遅《おそ》ならんうちに帰《かえ》るから
そーゆー相談《そうだん》かい
一生《いっしょう》のお願《ねが》い！
おまえの一生《いっしょう》は何回《なんかい》あんねん
お兄《にい》ちゃんの分《ぶん》もサインもろて来《き》たるから！

ほんまに？
サインなんか もらえんの？
なんや お兄《にい》ちゃんも ブラストの ファンなんや
ちゃうって
加世子《かよこ》がヤスの ファンなんや
ナナが うちに 似てるからの。ぷぷっ
なにがなんでも ヤスのサイン もろて来《こ》い
そしたら 今《いま》までの借金《しゃっきん》も チャラにしたるわ
……
ああ なんて妹思いで 彼女思いな おれ
すばらしい 完ぺきなオチや
加世子《かよこ》さんて ヤスが好《この》みなんや
なんで お兄《にい》ちゃんなんかと 付《つ》き合うてんねやろ
妥協しすぎ
美里《みさと》
おまえは そんなに 兄《にい》ちゃんが 嫌《きら》いか
ほんまかわいくないの

上原家《うえはらけ》の長男《ちょうなん》の空広《たかひろ》は
ダンナの連《つ》れ子《ご》って事《こと》で間違《まちが》いないんだよね？
ああ
でも妹《いもうと》の美里《みさと》はナナと半分《はんぶん》血《ち》が繋《つな》がってるだけあってやっぱナナに似《に》てるよね
ナナよりかわいいじゃん♡
てゆーかさ
ダンナに連《つ》れ子《ご》がいるなら美鈴《みすず》だってナナを連《つ》れて結婚《けっこん》できたんじゃないの？
でも鈴《すず》ちゃんは上原《うえはら》と知《し》り合《あ》う前《まえ》にすでにナナを養子《ようし》に出《だ》しちゃってるしね
なんで養子《ようし》に出《だ》したんだろう
その当時《とうじ》一緒《いっしょ》に暮《く》らしてた男《おとこ》が相当《そうとう》暴力的《ぼうりょくてき》だったって話《はなし》だし
幼《おさな》いナナを実家《じっか》に避難《ひなん》させたのかもな

でもそれなら預《あず》けるだけでいいじゃん
なんでわざわざ養子《ようし》に出《だ》すわけ？
……
結局育《けっきょくそだ》てるのが面倒《めんどう》になったんじゃない？
金《かね》にも困《こま》ってたみたいだし
なんかも―― そのへんは適当《てきとう》に書《か》くよ
やっぱ本人《ほんにん》に聞《き》かなきゃ分《わ》からない事《こと》が多《おお》すぎるよ
そもそもナナの父親《ちちおや》はどいつ？
「誰《だれ》だか分《わ》からない」でいいんじゃない？
分《わ》かったところで本《ほん》に載《の》る時《とき》はA《エー》さんなんだし
美鈴《みすず》だってM《エム》さんじゃん
記事《きじ》の主役《しゅやく》はあくまでナナで主旨《しゅし》はナナのバックグラウンドを見《み》せる事《こと》なんだから
母親《ははおや》に捨《す》てられても強《つよ》く逞《たくま》しく生《い》きてる事《こと》をアピールすりゃいーんだよ
……
せめて都築源一郎《つづきげんいちろう》が生《い》きててくれればな
もうちょっと何《なに》か分《わ》かったかもしれないのに
がっかり
まあね
期待させんなよな あのおっさんは

クリスマスが近《ちか》づいて
東京《とうきょう》は街中《まちじゅう》がイルミネーションで華《はな》やかに彩《いろど》られて
その初《はじ》めて見《み》る光景《こうけい》に心《こころ》が躍《おど》ったけど
いつまで待《ま》っても雪《ゆき》が降《ふ》り始《はじ》めない事《こと》に違和感《いわかん》を覚《おぼ》えた
だけどあたしは
別《べつ》にあの町《まち》が恋《こい》しいわけじゃない

あたしは子供《こども》の頃《ころ》から
娯楽室
常《つね》にこんな居心地《いごこち》の悪《わる》さにつきまとわれていた気《き》がする
ここはあたしの家《いえ》じゃない
ここはあたしの場所《ばしょ》じゃない
どこにいても

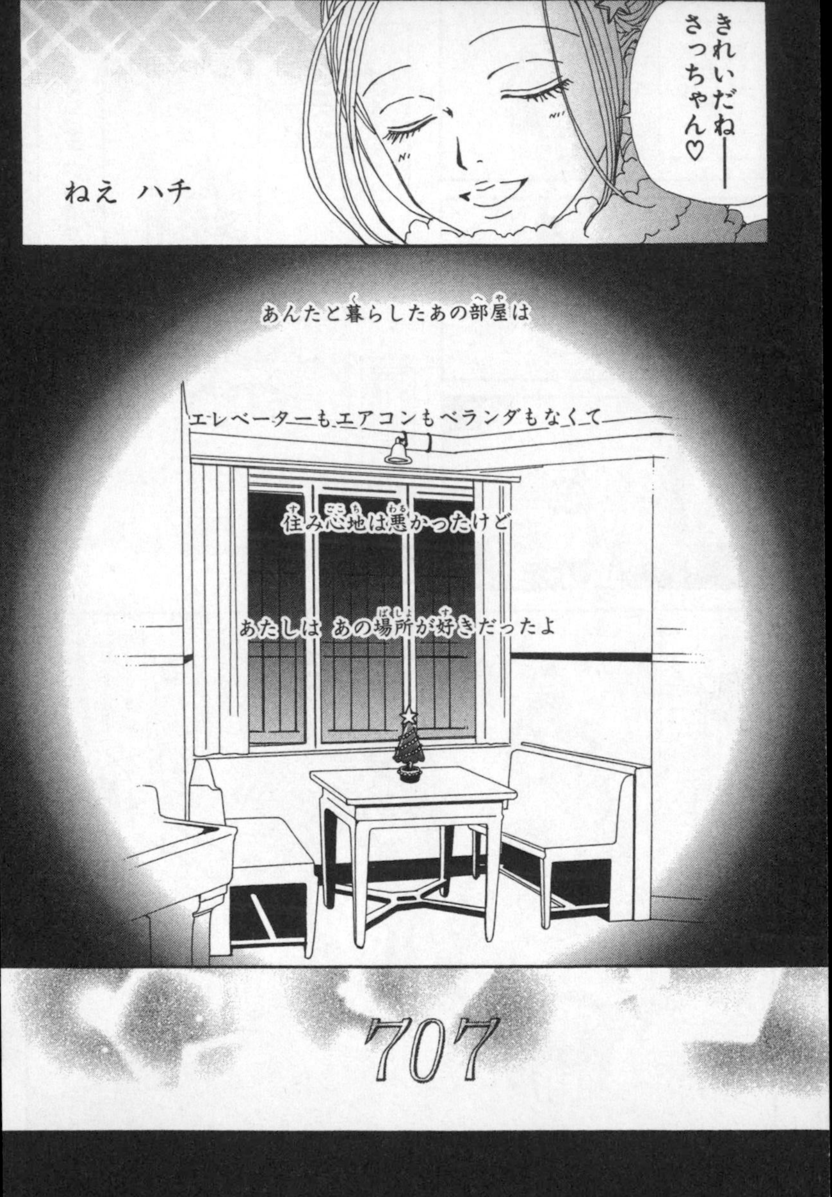
きれいだね——さっちゃん♡
ねえ ハチ
あんたと暮《く》らしたあの部屋《へや》は
エレベーターもエアコンもベランダもなくて——
住《す》み心地《ここち》は悪《わる》かったけど
あたしは あの場所《ばしょ》が好《す》きだったよ
707

あんたがいたから

HAPPY BIRTH DAY DEAR HACHI♡
あ
その歌《うた》なら知《し》ってる♡
やったあ♪
奈々《なな》は歌《うた》わなくていーって
ホッ!
……

レンと初《はじ》めて会《あ》ったのも

レンと初《はじ》めて結《むす》ばれたのも

そう言《い》えば
クリスマスだった

NANA
——ナナ——
［第《だい》60話《わ》］

トン
コポコポコポ…
キュッ
ピルル～♪
Merry
Christmas！
新人賞総ナメだね～。
忙しいだろうけど
たまには電話くらい
ちょうだいね。凌子

ピルルー——
レン——
ケータイ
鳴《な》ってるよ——

え？
ああ
おれか
借《か》り物《もの》だと
慣《な》れないよね――
自分《じぶん》のやつが
そのまま海外《かいがい》でも
使《つか》えたらいいのに
ねえの？
そーゆーの
さ――
てゆーか
早く出なさい
ピッ
はい
ハロ――
ダーリン♡
メリー
クリス
マース♡

誰《だれ》——？
なんか今《いま》かん高《だか》い女《おんな》の声《こえ》がしなかった？
いや誤解《ごかい》だ
今《いま》みんなで部屋《へや》でトランプしてたんだよ
へ——
イギリスまで行《い》ってもトランプかよ
ほんと好きだね
つーかおまえこんな夜中《よなか》にどっからかけてんの？
家《いえ》
日本《にほん》はもう朝《あさ》だよ
……
あそっか家電《いえでん》引《ひ》いたの？
いやまだ引《ひ》いてねぇけど
トン
ケータイからでも海外通話《かいがいつうわ》サービスでかけられるんだよ
知らねえの？
フフン
え？
ケータイ買《か》ったの？

うん
やっぱないと不便《ふべん》だし？
カメラ付《つ》き？
いーなセレブは
付《つ》いてねぇよ前《まえ》とおんなじやつ
は？
そんなにおれとお揃《そろ》いがいーのか
しょーがねえな
違《ちが》うよ
美里《みさと》が勝手《かって》に選《えら》んだんだよ
しかも入手困難《にゅうしゅこんなん》だとか言《い》ってさんざん待《ま》たせやがって
まあそーゆーわけだからさ
ホームシックになったら意地《いじ》張《は》らずに電話《でんわ》して来《こ》いよ♡

あたしやっぱり ナナちゃんに 嫌《きら》われてるんだね
いや あいつが勝手《かって》に やきもち焼《や》いてる だけだから
レイラに 問題《もんだい》がある わけじゃねぇよ
気にすんな
勝手《かって》な女《ひと》だな
でもこんな夜中《よなか》に いつまでも男《おとこ》の部屋《へや》に いるのは問題《もんだい》かもな
部屋《へや》戻《もど》って 寝《ね》たら?
レンが寝《ね》たら 戻《もど》る——
そんな常《つね》に 見張《みは》ってなくても 大丈夫《だいじょうぶ》だって
もう ほんとにやってねぇから
でもあれは 依存性《いぞんせい》が 強《つよ》いんでしょ?
大丈夫《だいじょうぶ》だよ
ハマる前《まえ》に 見事《みごと》に全部《ぜんぶ》 没収《ぼっしゅう》されたから
芹澤軒《せりざわけん》の人《ひと》に

……
なんかあの人《ひと》麻薬犬《まやくけん》みたいだよね？
芹澤犬？
それは立派《りっぱ》なラーメン屋《や》ね♡
ラーメン屋《や》だったのかよ
ワン
芹澤軒
ラーメン食《く》った覚《おぼ》えは一度《いちど》もねぇけど
だって配達中《はいたつちゅう》にのびるし――
Oh My God!
ラーメンの話《はなし》なんかするから食《く》いたくなったじゃねぇか
も
禁断症状が……
あたしも――
幻覚が見えるよ
どっかにねぇかなラーメン屋《や》……
しかも深夜営業の
ナオキなら知《し》ってるかも
毎晩《まいばん》クラブ巡《めぐ》りで捕《つか》まんないよ
じゃ――リーダーは？
なにげに情報通だし
タクミが夜中《よなか》にこっそり何《なに》してるかなんて考《かん》えたくもないよ…
新婚なのに……

じゃーマリちゃんは?
きっと必死になって探してくれるよ
法学部《ほうがくぶ》まで出《で》た人《ひと》がなんで夜中《よなか》にラーメンを探《さが》す仕事《しごと》なんかに就《つ》いたんだろうね
むなしくないのかな
じゃー木下《きのした》だ!
叩き起こせ!
了解《りょうかい》♡
ピッ
ピルルー
JR 2001
時刻表

今日から里帰りでしょ？ナツコとゴローとナオとナミによろしくねーん♡
ナナ様より
Re.メリークリスマス
謝恩会行けなくてごめんね。ミニライブがんばってね！(^o^)／
♡♡ハチ子♡♡
2001年《ねん》12月《がつ》24日《か》
それぞれのクリスマス

同《おな》じ時間《じかん》を
過《す》ごせなくても
今日《きょう》は
楽《たの》しかったよって
報告《ほうこく》し合《あ》える
ような
そんな関係《かんけい》に
なれたらいいと
思《おも》った
B2
BLOOD
あった!
ここや!
あーー
よかった
間《ま》に合《お》うて
ギリギリや
めっちゃ
分《わ》かりにくい
とこに
あるなぁ
そりゃ極秘《ごくひ》
パーティー
やもん!
急いで!
もう
メンバーも
来《き》てるん
かなあ
ドキドキ♡
お?
誰《だれ》かと思《おも》たら
藤《ふじ》本《も》っちゃんか

もーー ええって
ニ
だって かわいーーー♡
コンタクトマジック？
シンにくどかれるかもよ？
どーするの？
そんなん ありえへんから
何《なに》してんのあんたら！
早く！
はい！
チン
③
ガー
ニ
あれ？美里《みさと》ちゃん？
金髪だ
禁煙
…あ
おはようございます！
メリークリスマス♡

もうお昼《ひる》だけど…
謝恩会《しゃおんかい》は?
銀平《ぎんぺい》さんに来《く》るなって言《い》われて…
美里《みさと》がスタッフとして参加《さんか》すると他《ほか》の子《こ》達《たち》はおもしろくないでしょうし
プシューー
なる程《ほど》ね
恨みを買いそうだね
それでこれから社長《しゃちょう》が出席《しゅっせき》される昼食会《ちゅうしょくかい》に同行《どうこう》するように言《い》われたんですけど…
美里《みさと》はこんな格好《かっこう》でいいんでしょうか…
杉村さんはいいっておっしゃるんですけど でも…
大丈夫《だいじょうぶ》だよ
単《たん》に若《わか》くてかわいい部下《ぶか》を見《み》せびらかしたいだけだから
チン
ガ!
また寝《ね》てるよ山岸《やまぎし》さん
昼間っから飲んで
しょーがないな
ミューさんはお仕事《しごと》ですか?

うぅん
ヒマだから買《か》い物《もの》でも行《い》こうかと思《おも》ったんだけど
イチャイチャ街《まち》を歩《ある》くカップルに当《あ》てられてイライラするだけかもしれないな
あはは
やっぱりやめようかな
人多そうだし
でも夜《よる》はラブラブに過《す》ごせますよ♡
ヤスは今日《きょう》は10時《じ》上《あ》がりの予定《よてい》だし
百合《ゆり》にやっかまれたよ
ノブは夜中《よなか》までラジオの特番《とくばん》があるんだって?
はい
一番《いちばん》ノリ良《よ》く話《はな》せるせいか依頼《いらい》が多《おお》いんですよ
レギュラーの話も来てるし
最近《さいきん》みんなスケジュールバラバラだよね
4人《にん》揃《そろ》っての仕事《しごと》のが少《すく》ないんじゃない?
そうなんですよ
なのに未《いま》だに個別《こべつ》の専任《せんにん》マネージャーが付《つ》かなくて大変《たいへん》なんです
手の空いてる人間が手分けして
でも美里《みさと》ちゃんは はとんどナナちゃん付《づ》きでしょ?
あ
どうしたんですか?
しまった…
美里《みさと》って言《い》っちゃった…

さっきも言《い》ってましたよ?
出会い頭に
ほんとに?
駄目《だめ》だ…みんなそう呼《よ》ぶからなじんじゃったよ…
もういいか美里で…
いいですよ美里《みさと》もその方《ほう》がなじんでるし♡
あそうだ
美里《みさと》って言《い》えばさ
今日《きょう》大阪《おおさか》から上原《うえはら》美里《みさと》が来《く》るんだってね
みんなが噂《うわさ》してたお好《この》み焼《や》き屋《や》の
美里《みさと》ちゃーん!
BLACK

鞠花《まりか》さん！ルイさん！
うわっ かっこえ♥
こんにちはー
いやん♡ かわいー 千景《ちかげ》♡
色気づいちゃって このこの♡
あんたそーしてると ナナに似《に》てるね♡
なんか声も似てるし
おーー この子《こ》が上原美里《うえはらみさと》？
マジかわい
フーカ美形ー
ほんとだ！
ナナに似《に》てる！
うらやまし～～
あたしルナ
よろしくね♡
来《く》るって…？

……
だから謝恩会《しゃおんかい》に
なんでですか？
馴染《なじ》みのファンだけじゃ人数《にんずう》が集《あつ》まらなかったんだよ
それで地元《じもと》の有志《ゆうし》の子達《こたち》が気《き》を遣《つか》って
パーティーが盛《も》り上《あ》がるように頭数揃《あたまかずそろ》えてくれたんだよ
それは銀平《ぎんぺい》さんから聞《き》いてます
メジャーになったとたんに離《はな》れた子達《こたち》がいる事《こと》も知《し》ってます
でも今《いま》やブラストの追《お》っかけなんて大勢《おおぜい》いるのに…なんでその子《こ》が
それは別《べつ》に深《ふか》い意味《いみ》はないんじゃない？
美里《みさと》ちゃんと同姓同名《どうせいどうめい》だから運良《うんよ》く気《き》に留《と》めてもらえたんだよ
ナナちゃん達《たち》だってそうだし

美里《みさと》が……
こんな名前《なまえ》名乗《なの》ったりしたから…？
どうしたの？
その子《こ》が来《き》たら何《なに》かマズイ事《こと》でもあるの？
いえ…

じゃあ美里《みさと》は急《いそ》いでますからお先《さき》に
美里《みさと》ちゃん
社長《しゃちょう》との約束《やくそく》すっぽかしたりしたらクビだよ？
銀平《ぎんぺい》の言《い》うとおり謝恩会《しゃおんかい》だって盛《も》り下《さ》がるよ
あたしが代《か》わりに様子《ようす》見《み》て来《く》るから何《なに》がマズイのか事情《じじょう》を話《はな》して
ざわ
ざわ
遅《おそ》いなあメンバー——
どなりしたんやろ

たぶんそろそろステージに出《で》て来《く》るよ♡
ステージ？
だってセッティングしてあるし
きっと2・3曲位《きょくぐらい》は演奏《えんそう》してくれるよ
マジですか？
さあ分《わ》かんないけどね
たぶん
前《まえ》行《い》っとこ！
ダッ
テンション高《たか》いねえ
……
いや分かんないってば
そーいや詩音《しおん》とサキは？
まさか楽屋？
受付《うけつけ》で出《で》入《い》りチェックしてるよ
スタッフ気取り？
くっくっ♥
やっぱああいう初々《ういうい》しい子達《こたち》呼んで正解《せいかい》だったんじゃない？
詩音《しおん》も結構《けっこう》やるじゃん

そろそろ始《はじ》まるかなライブ
そーだね
中入《なかはい》って観《み》て来《き》たら？
いーの？
てゆーか詩音《しおん》は？
アキコとヨーコの顔《かお》見《み》て確認《かくにん》しないと安心《あんしん》して通《とお》せないよ
招待状《しょうたいじょう》も持《も》ってないし
ありえないよねこんな時《とき》に遅刻《ちこく》なんて
何やってんのよもー
土壇場《どたんば》でも来《く》る気《き》になってくれただけ良《よ》かったよ
サキが説得《せっとく》してくれたおかげだよ
でもなんか自信《じしん》なくなって来《き》たよ
ほんとに来《く》るのかな…

その日《ひ》の招待客《しょうたいきゃく》を
30人《にん》に決《き》めたのは
間違《まちが》いなく飛《と》んで
来《く》ると思《おも》った
馴染《なじ》みのファンの
人数《にんずう》だった
BLACK STONES
シン
なんかおまえ
背《せ》伸《の》びてない？
いつのまにの
そう？
でも地元《じもと》からの
出席者《しゅっせきしゃ》は
たったの7人《にん》
おれの
となりに
並ぶな
でもCD《シーディー》は日本一《にほんいち》
売《う》れてるんだから
みんな
スタンバイ
オッケー？
そろそろ
行《い》くわよ――

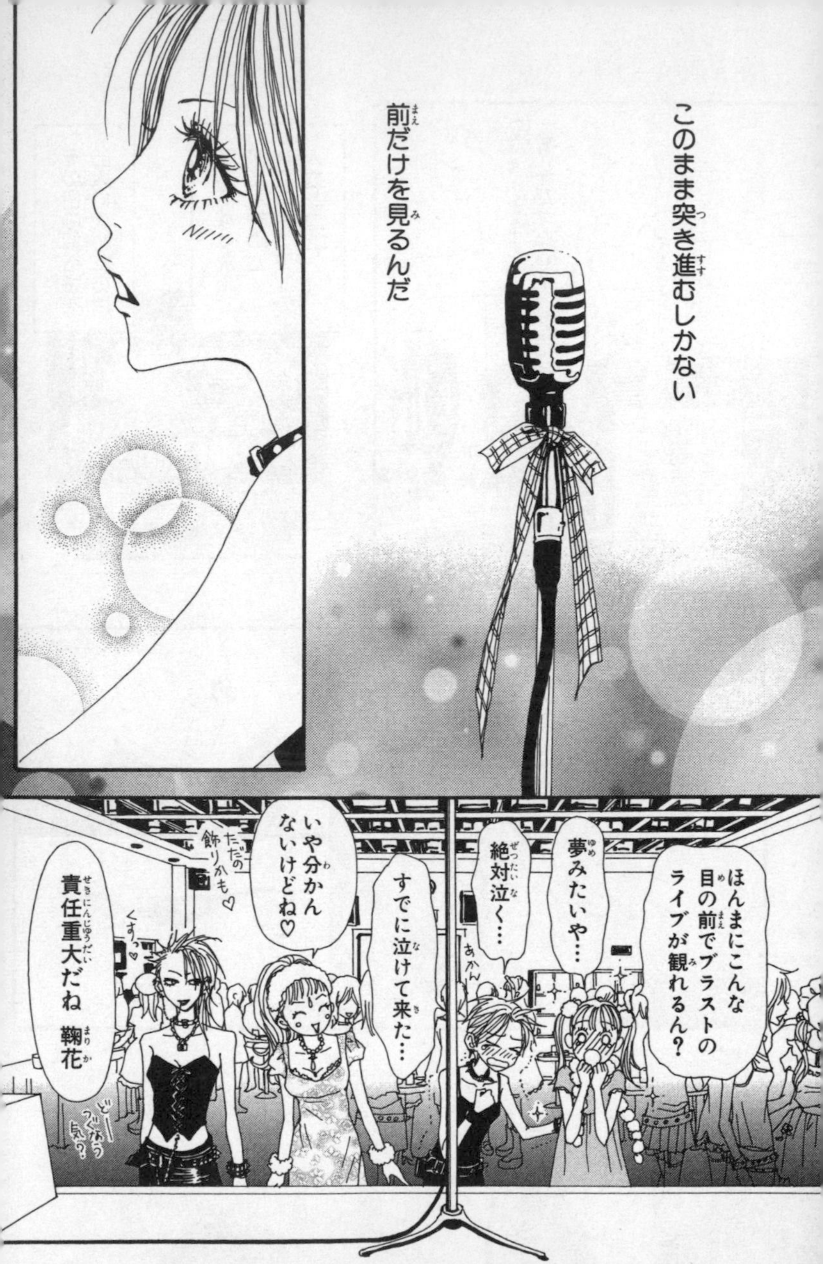

このまま突《つ》き進《すす》むしかない
前《まえ》だけを見《み》るんだ
ほんまにこんな目《め》の前《まえ》でブラストのライブが観《み》れるん？
夢《ゆめ》みたいや…
絶対《ぜったい》泣《な》く…
あかん
すでに泣《な》けて来《き》た…
いや分《わ》かんないけどね♡
ただの飾りかも♡
くすっ♡
責任重大《せきにんじゅうだい》だね　鞠花《まりか》
どーつぐなう気っ？

パッ
お
ざわっ
BLACK STONES
キャー

BLACK
STONES

ナナ!!
STONES

メリー クリスマス！
ブラストです！
へー
代《よ》々《よ》木《ぎ》上《うえ》原《はら》に住《す》んでんだ♡
SWISHER BlackStone Cherry
仕事《しごと》は何《なに》してんの？
追《お》っかけやってたら定職《ていしょく》にも就《つ》けないだろ
短期のバイトとかの？
今《いま》は何《なに》もしてないんです
いけないと思《おも》いながらもパパがお金《かね》持《も》ちだからつい甘《あま》えてしまって

へーー
お嬢《じょう》様《さま》なんだね
そんなカンジ♡
そんなカンジ♡
そのパパじゃないよ
キィ
……
あれ？ミューさん
どーしたんスか？
こっちのセリフだよ瞬《しゅん》ちゃん
いつからブラスト班《はん》になったの？

だっておれの持《も》ちタレントみんな仕事《しごと》が少《すく》なくてヒマなんだもん
悪《わる》かったね
ちょっと中入《なかはい》っていい？
え？
何《なに》言《い》ってんスかダメですよ！
おれが銀ちゃんにしめられるよ
平気《へいき》だよあたしは顔《かお》売《う》れてないし
しめられれば？
いや絶対《ぜったい》ヤバイって！
ファンの集《つど》いに彼女《かのじょ》が来《き》たりしたらヤスだって困《こま》るし
瞬《しゅん》ちゃん
……
あ……
て言うか誰…？

大丈夫《だいじょうぶ》ですよ口外《こうがい》したりしませんから
彼女《かのじょ》がいる事《こと》はヤスから聞《き》いてますし
ああ そーなんだ
え？ そーなの？
ファンの手前《てまえ》他人行儀《たにんぎょうぎ》にしてるけど
ヤスとは元々《もともと》気心《きごころ》の知《し》れた長年《ながねん》の友人《ゆうじん》なの
それで銀《ぎん》ちゃんも君《きみ》の事《こと》信頼《しんらい》して色々《いろいろ》任《まか》せるんだね
納得行ったよ
いつでも声《こえ》かけて頂《いただ》ければどんな雑用《ざつよう》でもお手伝《てつだ》いしますよ
ほんと？助《たす》かるなー♡
………
ああ ごめんなさい自己紹介《じこしょうかい》が遅《おく》れて
ブラストの私設《しせつ》ファンクラブの会長《かいちょう》の詩音《しおん》です
初《はじ》めまして

ざわ
ざわ
BLACK STONES
はー
かっこ良《よ》かった ナナ
うちと似《に》てるなんて めっそうもないわ
いい気になってました ごめんなさい
ナマ歌《うた》のが 数倍《すうばい》迫力《はくりょく》やったな！
ぽー
あかんわ
シンと脳内《のうない》デート中《ちゅう》や
おじゃましました
あははは
みなさーーん
メリーー クリスマース♡

ライブはいかがでしたか？
本日《ほんじつ》の司会進行役《しかいしんこうやく》を務《つと》めますサンタクロースで――す♡
キャー♥
銀ちゃんかわいー♥
サンタって言《い》ってるでしょ
素直《すなお》に信《しん》じなさいよ
どっ
誰《だれ》ですか？ギンちゃん
チーフマネージャー
え？
芸人《げいにん》ちゃうんや
ゲラゲラゲラ
このあとは再《ふた》びメンバーが登場《とうじょう》してお宝《たから》グッズが当《あ》たるビンゴゲームです
準備《じゅんび》が整《ととの》うまでしばらくの間《あいだ》ご歓談《かんだん》下《くだ》さいね♡
BACK STAGE

ねえ見《み》た？
先頭《せんとう》のど真《ま》ん中《なか》にいたよね美里《みさと》2号《ごう》
気合い入ってんじゃん♡
ヤス！
見《み》た！
鞠花《まりか》の隣《となり》にいた子《こ》だろ？
ナナさんに似《に》てるからすぐ分《わ》かったよ
だよねー
そんなに似《に》てるの？
へー
も～ギリギリ…
でも僕《ぼく》はそれよりマリカさんの谷間《たにま》が…
気《き》になるよね
角度的《かくどてき》に
反則だろあれは
何《なに》？
ごめん
どーしても帰《かえ》んないからこっちに入《い》れちゃった
会場はマズイし
……
帰《かえ》るように説得《せっとく》してよ
頼んだよ♡

どーしたんだよ
別《べつ》に好《す》きで来《き》たわけじゃないよ
ちょっと緊急事態《きんきゅうじたい》なの
美里《みさと》ちゃんがね
え？
大阪《おおさか》の上原美里《うえはらみさと》をナナちゃんに近《ちか》づけない方《ほう》がいいって言《い》ってるのよ
なんで？
それがいくら聞《き》いても事情《じじょう》は言《い》ってくれないのよ
でもすごく動揺《どうよう》してて思《おも》いつめた感《かん》じなの
何《なに》か心当《こころあ》たりない？
…いや

とにかくそれでちょっと心配《しんぱい》になって来《き》たんだけど
あたしは入《い》れてもらえないみたいだし気《き》をつけて見《み》といてあげてくれない？
いいけど……
事情《じじょう》も分《わ》かんねぇのに気《き》をつけるって何《なに》を…
だから2人《り》が近《ちか》づかないように
何《なに》聞《き》いてるのよ
…………
すんません
それではみなさん♡
お手元《てもと》にビンゴゲームの紙《かみ》は行《い》き渡《わた》りましたね？
チャンスは4回《かい》♡
気《き》になる賞品《しょうひん》はこちら♡

メンバーご愛用《あいよう》グッズだ――!!
あたしのパンティーとか♡
ないない
いらない
ナナちゃんに
近《ちか》づけない方《ほう》が
いいって言《い》ってるの
ナナさんに似《に》てるから
すぐ分《わ》かったよ

ヴロロロロ…
キイッ
ウィーン
奈《な》々《な》さん！

あら こんにちは 倉田《くらた》さん♡
営業スマイル
その節《せつ》は お世話《せわ》に なりました
旅行《りょこう》？
ええ まあ
主人《しゅじん》も 出張中《しゅっちょうちゅう》ですし こんな所《とこ》に 張《は》り込《こ》んでても 無意味《むいみ》ですよ？
他《ほか》の住人《じゅうにん》にも迷惑《めいわく》ですし
いや君《きみ》に ちょっと 聞《き》きたい事《こと》が あってさ
ごめんなさい 急《いそ》いでるし
何この人 カメラマンじゃ なかったの？
ナナの お母《かあ》さんが 生《い》きてる事《こと》 知《し》ってる？
え？

いや 知《し》らないなら いいんだ
気《き》にしないで
ごめんね 引《ひ》き止《と》めて
今頃《いまごろ》どっかで
野《の》たれ死《じ》んでるかもな
……
まともに育《そだ》てられねえんなら
産《う》むべきじゃねえんだよ
世《よ》の中《なか》ふざけた母親《ははおや》が多《おお》すぎるよ
ちょっと 待《ま》って!

ねえ　ハチ
いらっしゃいませ
あたしは自分《じぶん》を捨《す》てた母親《ははおや》が
したたかに生《い》き延《の》びていた事《こと》に傷《きず》ついたんじゃないの

人並《ひとなみ》で平凡《へいぼん》な女《おんな》に
成《な》り下《さ》がっていた事《こと》が疎《うと》ましかったんだ
あたしは哀《かな》しい人間《にんげん》だよ

顔《かお》も思《おも》い出《だ》せない
あたしの母親《ははおや》の最後《さいご》のイメージは
なごり雪《ゆき》の中《なか》を
赤《あか》いハイヒールで
走《はし》り去《さ》って行《い》く後《うし》ろ姿《すがた》
だけど雪《ゆき》の日《ひ》に
そんな靴《くつ》で
走《はし》るなんて無理《むり》があるし
あたしの記憶《きおく》はどこか
リアリティーがない

NANA
―ナナ―
[第《だい》61話《わ》]

そんな疑《うたが》いの目《め》で見《み》ないでよ
……
だって
ほんとにちゃんと調《しら》べたんですか?
もちろんだよ
この1か月《げつ》ずっとその事《こと》で飛《と》び回《まわ》ってたんだから
もーヘトヘト

でもナナを捨《す》てて
行方《ゆくえ》を眩《くら》ませた
女《ひと》が…
子供《こども》を2人《り》も
まともに育《そだ》てて
普通《ふつう》の家庭《かてい》を
営《いとな》んでるなんて
なんか納得《なっとく》
行《い》かないし…
そんなに疑《うたが》うなら
自分《じぶん》で確《たし》かめて
みたらいいよ
おれは君《きみ》の事《こと》は
信《しん》じてるから
君《きみ》はナナの秘密《ひみつ》を
誰《だれ》かに話《はな》したりは
しないよね？
お好み焼き
うえはら

もちろんですよ
だからあたしから何《なに》か聞《き》き出《だ》そうなんてお門違《かどちが》いもいいとこです
それもそうか
だいたい
ネタ欲《ほ》しさにあたしに声《こえ》かけるなんてうかつですよね倉田《くらた》さん

サーチがこんな事《こと》嗅《か》ぎ回《まわ》ってるって知《し》った以上《いじょう》
記事《きじ》は全力《ぜんりょく》でつぶさせてもらいますから
コン
ほう
ドラマですか
ええ
ナナのあの容姿《ようし》と雰囲気《ふんいき》はミュージシャンに留《とど》めておくのはもったいないですよ
是非《ぜひ》うちの局《きょく》の連《れん》ドラの主演《しゅえん》にと考《かんが》えてるんですけどね

……
…なる程《ほど》
なんでこんなに歌《うた》える仕事《しごと》が少《すく》ねぇんだよ
あたしはモデルでもタレントでもねぇぞ
それは有難《ありがた》いお話《はなし》ですが
ここだけの話《はなし》似《に》たようなオファーは他《ほか》からも沢山《たくさん》来《き》てましてねぇ
それなりの条件《じょうけん》でないと…
もちろんゴールデンの一番《いちばん》いい枠《わく》を用意《ようい》しますよ！
脚本家《きゃくほんか》も共演《きょうえん》の俳優《はいゆう》も今《いま》一番人気《いちばんにんき》の者《もの》をおさえますから
それはどこも同《おな》じような事《こと》をおっしゃられていますしねぇ
あとはまあギャラ次第《しだい》ですかねぇ

でもナナさんは 女優業《じょゆうぎょう》には あまり 関心《かんしん》がないように 見受《みう》けられますけど
あ？
ばかやろう おまえ
それをやる気《き》に させるのも マネージャーの 仕事《しごと》だろ
……すみません
スケジュール 管理《かんり》だけしてりゃ いいってもんじゃ ねぇよ
まあ まあ
でも社長《しゃちょう》さんの おっしゃる 通《とお》りだわ
ナナに 乗《の》り気《き》になって もらえるように 私共《わたしども》も精一杯《せいいっぱい》 がんばりますよ
是非《ぜひ》前向《まえむ》きに ご検討《けんとう》 お願《ねが》い致《いた》します

ガラーン
さあ賞品《しょうひん》は残《のこ》すところあと1つ！
ガラン
ガラン
♪
ナナご愛用《あいよう》のヴィヴィアンのヤスミンバッグ！
しかもこのミニサイズはレアもの！
BINGO
17
9
54
63
I《アイ》の17
I《アイ》の17
コロン
I《アイ》の17
……
ブツブツ
ドキドキ
♪
さあ出《で》ました！
現在《げんざい》リーチは6人《にん》！
そろそろビンゴの人《ひと》がいるかも!?

じゃん!
N《エヌ》の38♡
キャ―♡
ビンゴ!!
は〜〜〜
きゃー♡
きゃー♡
きゃー♡
おめでとー♪
大事に使ってね♡
ざわ
ざわ
見せて見せてー♡
いーなー
うらやましい……

まだ言《ゆ》う
てんのかい
ひがみっぽいっちゅーか
正直者っちゅーか
バッグが当《あ》たった事《こと》もやけど ナナと握手《あくしゅ》したり しゃべったり 出来《でき》た事《こと》が うらやましい
あ
分《わ》かるー
あたしも シンの時《とき》 同《おな》じ事《こと》思《おも》った
しゃーないやん
こんな出血大《しゅっけつだい》サービスの パーティーに出席出来《しゅっせきでき》た だけでも有難《ありがた》く思《おも》いや
それはもちろん 思《おも》てますけど
それとこれとは 別腹《べつばら》です隊長《たいちょう》!
ガツ ガツ ガツ
あんた ほんま よう食《く》うな
ヤセの大食い?
うちがダイエット中と知っててか
でもルイさんが 言《ゆ》うてたけど
ブラストってアマチュアの 時《とき》からライブの打《う》ち上《あ》げにも 絶対《ぜったい》ファンの事《こと》呼《よ》べへん 決《き》まりやったらしいで?
え?
そーなん?
なんで?
ヤスがレンと 前《まえ》にやってた バンドでな
ファン絡《がら》みで 色々《いろいろ》あってんて
色々《いろいろ》って?

さあ
それは教《おし》えて くれんかったけど
とにかく今日《きょう》みたいな ファンサービスは 最初《さいしょ》で最後《さいご》かもしれんて
やっぱり統率《とうそつ》する為《ため》の 嘘《うそ》なんやー
びえ
いや それは ほんまやから
もー 世話がやけるな 中坊は
そやから出血《しゅっけつ》 大《だい》サービスや 言《ゆ》うてるやん
でも詩音《しおん》さんは ツアーの打《う》ち上《あ》げに 呼《よ》んでくれる 言《ゆ》うてましたよ？
地方《ちほう》に追《お》っかけして 回《まわ》ってた時《とき》 銀《ぎん》ちゃんも こっそり呼《よ》んだる 言《ゆ》うてくれたから
うちが 品行方正《ひんこうほうせい》やから 気《き》に入《い》って もらえたんや
フフン♪
ほんまですか？
チーフマネージャーが 言《ゆ》うねんから 間違《まちが》いないで！
ここだけの 話《はなし》やけどな
うん うん

ツアーは大所帯《おおじょたい》やし
打《う》ち上《あ》げに追《お》っかけも混《ま》ぜて
参加費《さんかひ》巻《ま》き上《あ》げたら
事務所《じむしょ》は経費《けいひ》が浮《う》いて
助《たす》かるんや
オーッホッホッホ
経費《けいひ》？
参加費《さんかひ》か——
なんて夢《ゆめ》のない話《はなし》やねん！
巻き上げるなや！
あたり前《まえ》やん
慈善事業《じぜんじぎょう》ちゃうで？
いくら位《くらい》やろ
チケット代《だい》だけでもキツイのに…
でも絶対《ぜったい》参加《さんか》したい…
何を引きかえにしても…
あ！
え？
しまった——
忘《わす》れとったヤスのサイン！
お兄ちゃんにしばかれる
ああ
いや今日《きょう》は貰《もら》われへんてサインなんか
1人《り》に書《か》いたら30人《にん》に書《か》かないかんやん

メンバーはずっとステージの上《うえ》やし
もらえるタイミングもなかったもんな
でもよく考えたらあたりまえか…
みなさーん♡
宴《えん》も酣《たけなわ》な事《こと》と思《おも》いますが
そろそろお開《ひら》きの時間《じかん》が近《ちか》づいて参《まい》りました
えー
ざわ
ざわ
文句《もんく》言《い》わないの！
最後《さいご》に我《われ》らがナナからご挨拶《あいさつ》があります！
イエ〜イ
キャー♡

ナナー♡
きゃー♡
きゃー♡
どーもどーも
えーと今日《きょう》はみんな全国各地《ぜんこくかくち》からはるばる来《き》てくれてありがとう
おかげ様《さま》でブラックストーンズもメジャーとして軌道《きどう》に乗《の》る事《こと》が出来《でき》ました
おめでと
パチパチパチパチ
実《じつ》は今日《きょう》こういうパーティーを開《ひら》いたのは
アマチュア時代《じだい》から応援《おうえん》してくれてる人達《ひとたち》に
何《なに》か恩返《おんがえ》しみたいな事《こと》がしたかったからなんだけど
今日《きょう》は新《あら》しいファンの子《こ》も大勢《おおぜい》来《き》てくれて
みんなの声援《せいえん》を受《う》けてまたあたし達《たち》の方《はう》が励《はげ》まされる形《かたち》になってしまいました

だから
結局《けっきょく》あたし達《たち》が出《で》来《き》る恩返《おんがえ》しって言《い》うのは
みんなの励《はげ》みになるような曲《きょく》を一杯《いっぱい》リリースして
これからも一杯《いっぱい》ライブやって行《い》く事《こと》かなって思《おも》いました
今日《きょう》はほんとにありがとう
これからもどうかよろしくお願《ねが》いします
BLACK STONES

パチ パチ パチ パチ
お疲《つか》れ様《さま》です
急《いそ》いで
みなさーん
今日《きょう》はなんとみなさんにお土産《みやげ》の福袋《ふくぶくろ》もご用意《ようい》していまーす♡
キャー♡
中身《なかみ》は非売品《ひばいひん》グッズを混《ま》じえて盛《も》り沢山《だくさん》！
わい わい
受付《うけつけ》で1人《り》1袋《ふくろ》ずつお渡《わた》しします

混乱《こんらん》のないように係員《かかりいん》の指示《しじ》に従《したが》って出口《でぐち》の前《まえ》に整列《せいれつ》して下《くだ》さい
コインロッカーをご利用《りよう》の方《かた》は荷物《にもつ》もお忘《わす》れなく！
ざわ
ざわ
ざわ
ちゃんと並んで—
じゃあ南《みなみ》から行《い》きましょう
南《みなみ》？
九州《きゅうしゅう》代表《だいひょう》
やった——♡福袋《ふくぶくろ》やって！
♪
めっちゃ楽《たの》しみ♡
はい！
ちゃんと一列《いちれつ》にね
次《つぎ》四国《しこく》
はい！
……
ずら———っ
準備《じゅんび》OK《オーケー》です
はいっ！
シャキン

コンコン
受付《うけつけ》も準備《じゅんび》OK《オーケー》のようですね
じゃあグループごとに出《で》てもらうから九州《きゅうしゅう》は3名《めい》ね?
はい!
ガチャ
どーぞ

キャー
何《なに》?
ざわっ
メンバーがおるって!
受付《うけつけ》に!
え!?
なんで?
うそや!
パタン
列《れつ》を乱《みだ》さない!
ビシッ
うそやろ?
バクバクバク
どないしょー
握手《あくしゅ》してもらえるかなぁ…

夢《ゆめ》みたいや……
先程《さきほど》はよけいな口出《くちだ》しをして申《もう》し訳《わけ》ありませんでした
ん？
でもナナさんは当分《とうぶん》スケジュールも詰《つ》まってますし
演技《えんぎ》の経験《けいけん》もないのにドラマなんて…
ああ
その事《こと》なら気《き》にすんな
おまえがああ言《い》ってくれたおかげで向《む》こうは俄然《がぜん》闘志《とうし》が湧《わ》いたみてぇだしな

でも……
ナナを女優《じょゆう》にするなんておれも考《かんが》えた事《こと》なかったけど
あの根岸《ねぎし》って女《おんな》が仕掛《しか》けた番組《ばんぐみ》は必《かなら》ず当《あ》たるんだよ
この話《はなし》はなんとしても実現《じつげん》させてえなあ
このまま歌《うた》わせてるだけじゃおいしい所《ところ》は全部《ぜんぶ》ガイアに持《も》ってかれちまうしな
そうは行《い》くかよ
JR
東京駅
Tokyo Station
パ

お好み焼き
大阪府大阪市中央区道
<TEL> 06-62
みどりの窓口
Ticket Office
ざわ
ざわ
東海道・山陽新幹線　発車ご案内
のぞみ　19　14:53　博　多　15　全車指定席
サーチがこんな事《こと》 嗅《か》ぎ回《まわ》ってるって知《し》った以上《いじょう》
記事《きじ》は全力《ぜんりょく》でつぶさせてもらいますから

無理《むり》だと思《おも》うけどね
強気《つよき》なナナの哀《かな》しい生《お》い立《た》ちは世間《せけん》の興味《きょうみ》をそそるだろうし
むしろイメージアップだよ
君《きみ》が誰《だれ》かに助《たす》けを求《もと》めたところで
ナナを話題性《わだいせい》だけで売《う》ってるガイアや四海《しかい》が動《うご》くとは思《おも》えない
君《きみ》1人《り》の力《ちから》で何《なに》が出《で》来《き》るって言《い》うの?
タクミやナナは確《たし》かに勝《か》ち組《ぐみ》だけど
君《きみ》はただの勘違《かんちが》い女《おんな》だ

タン
大阪《おおさか》まで
ガチャ

じゃあ次《つぎ》のグループの方《かた》どーぞ——
あははは
パタン
……
あ
2号《ごう》!
?

こら
2号《ごう》なんて言《い》っちゃ失礼《しつれい》だぞ
じゃー2《ツー》とか？
ごめんね
そんなビビんないで
ナナもヤスも見た目ほど怖くないから おれには怖いけど
今日《きょう》は遠《とお》い所《ところ》来《き》てくれてほんとにありがとー♡
いえ！
こちらこそありがとうございました
関西《かんさい》地区《ちく》代表《だいひょう》のクララです！
じーーん
ふハっ
藤本千景《ふじもとちかげ》と申《もう》します
初《はじ》めまして
ほら あんたも自己紹介《じこしょうかい》して！
うっうっうっうっ
……
知《し》ってるよ？
しゃーないなー
♪
お好《この》み焼《や》き屋《や》の上原美里《うえはらみさと》ちゃん♡
手紙《てがみ》くれたよね？

CHU♥
なんだよもーー
そんな泣《な》くなよ♡
ギゅ〜〜♡
……
え？
そーゆーのアリなの？
じゃー僕《ぼく》も
こら こら こら こら
じゃーーこれ
お土産《みやげ》の福袋《ふくぶくろ》
3つね
はっ
ありがとうございます！
リーダー自ら
……
マイペースだなヤッさん
あ
ごめんね大丈夫《だいじょうぶ》？
藤本《ふじもと》っちゃんしっかり！
ゲラゲラ
そや！
すいません！サイン1枚《まい》だけもらえませんか？
美里《みさと》色紙《しきし》！
早く！
え？
うち？
はいっ
デンワしてね♡
え？
おれ？
はい

なんであたしじゃなくてハゲのサインなんだよ
…
浮気者
あ
お兄《にい》ちゃんの彼女《かのじょ》がヤスのファンで…
すいません
……
へーーお兄《にい》ちゃんがいるんだ
いーなー
え？そーですか？
ナナにはおれがいるじゃねぇか
は？
あたしは毛《け》が生《は》えてるお兄《にい》ちゃんが欲《ほ》しいんだよ
……
ぷっ
あはは
ピイッ

ほな今日《きょう》は ほんまに ありがとう ございました
これからも がんばって 下《くだ》さい！
ツアーで大阪《おおさか》行《い》ったら お好《この》み焼《や》き食《た》べに いくからね――♡
あ！ 行く行く～♡
またね♪
バイバーイ♡
わざわざ 送《おく》って下《くだ》さって ありがとう ございました
お疲《つか》れ様《さま》です

ナナの説得《せっとく》は
銀平《ぎんぺい》に
任《まか》せるから
おまえは
ナナの
機嫌《きげん》だけ
取《と》ってろ
テレビ
ヴロロロロロロロ…
ばっ
!
新着メールが
ピッ

D 12月24日14:21
F ミュー
S ごめんなさい
私は会場に入れなかったので、ヤスに頼みました。
でも彼に任せておけば大丈夫だと思います。
安心してね。
ピルル〜♪
ビクッ
ピッ
D 12月24日16:
F ヤス
S 報告
美雨から聞きました。
様子を見てる限り彼女はナナの純粋なファンのようだし特に問題もなく謝恩会は無事に終わりました。

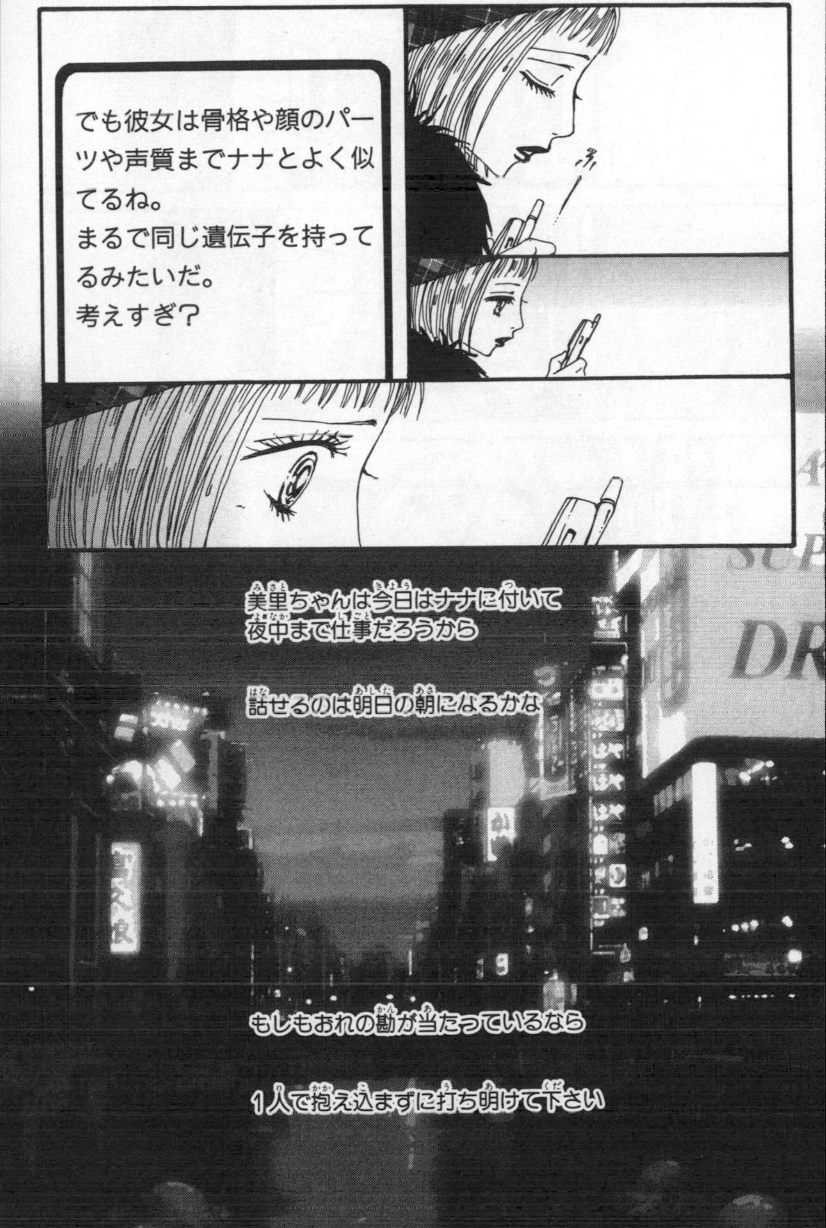
でも彼女は骨格や顔のパーツや声質までナナとよく似てるね。
まるで同じ遺伝子を持ってるみたいだ。
考えすぎ？
美里《みさと》ちゃんは今日《きよう》はナナに付《つ》いて
夜中《よなか》まで仕事《しごと》だろうから
話《はな》せるのは明日《あした》の朝《あさ》になるかな
もしもおれの勘《かん》が当《あ》たっているなら
1人《り》で抱《かか》え込《こ》まずに打《う》ち明《あ》けて下《くだ》さい

ナナの母親《ははおや》の消息《しょうそく》は
戸籍《こせき》を辿《たど》って行《い》けば調《しら》べがつくと思《おも》うから
この状況下《じょうきょうか》ではいつ誰《だれ》が嗅《か》ぎつけるか分《わ》からない
彼女《かのじょ》や彼女《かのじょ》の家族《かぞく》の為《ため》にも気《き》をつけてあげる必要《ひつよう》があるよ
お好み焼き
うえはら
好み焼き
うえはら
お好み焼き
うえはら

傷《きず》つくのはナナだけじゃないんだ

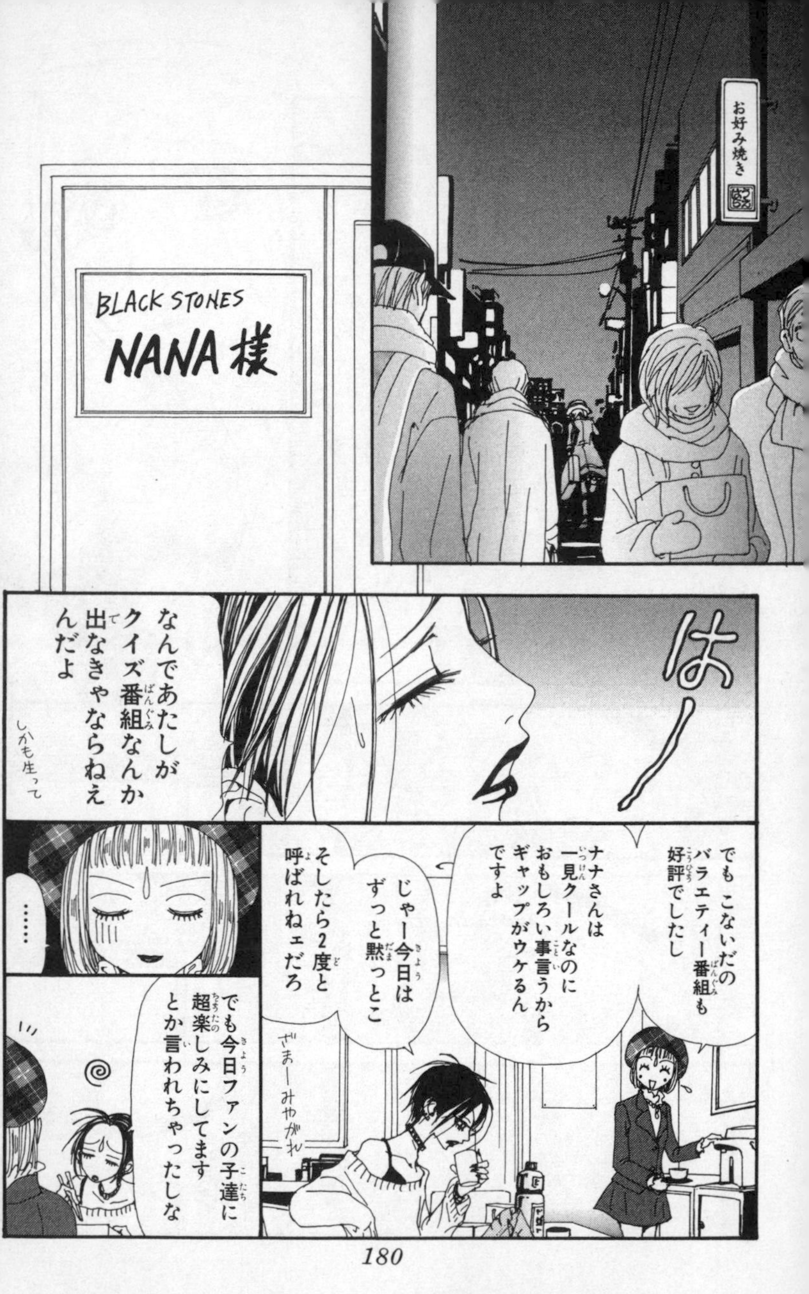
お好み焼き
BLACK STONES
NANA様
はー
なんであたしがクイズ番組《ばんぐみ》なんか出《で》なきゃならねえんだよ
しかも生って
でも こないだのバラエティー番組《ばんぐみ》も好評《こうひょう》でしたし
ナナさんは一見《いっけん》クールなのにおもしろい事《こと》言うからギャップがウケるんですよ
じゃー今日《きょう》はずっと黙《だま》っとこ
そしたら2度《ど》と呼《よ》ばれねェだろ
ざまーみやがれ
……
でも今日《きょう》ファンの子達《こたち》に超楽《ちょうたの》しみにしてますとか言《い》われちゃったしな

ついはりきって優勝《ゆうしょう》とかしちゃうかも
ダサっ
結局《けっきょく》来《こ》なかったねアキコとヨーコ
ケータイも繋《つな》がんないし
くっそー
しょうがないよ
暴走《ぼうそう》しないように規制《きせい》は出来《でき》てもずっと好《す》きでいろなんて強制《きょうせい》は出来《でき》ないよ
でもブラストは確《たし》かに曲《きょく》の感《かん》じも変《か》わっちゃったし
何《なに》バラエティーとか出《で》てんだよってあたしも思《おも》ってたけど

前《まえ》みたいな狭《せま》いハコでステージに立《た》ってるとこ生《なま》で見《み》たら
別《べつ》になんにも変《か》わってないと思《おも》ったしむしろ上手《うま》くなってたし
ライブのナナの最後《さいご》の挨拶《あいさつ》も素直《すなお》に感動《かんどう》出来《でき》たよ
アキコ達《たち》にも聞《き》かせたかった…
あたしは今《いま》のあんたのセリフをメンバーにも聞《き》かせたいよ
ねえ ハチ

申《もう》し訳《わけ》ありません
今日《きょう》は全室満室《ぜんしつまんしつ》になっておりまして
え？
シングルも空《あ》いてないんですか？
クリスマスの夜に1人で泊まろうなんて物好きはあたしだけかと思ってました
大変《たいへん》申《もう》し訳《わけ》ありません
ウィーー…ン
はぁ

4つの時《とき》 母親《ははおや》に捨《す》てられて
15の時《とき》たった1人《り》の家族《かぞく》も亡《な》くして
夢《ゆめ》も希望《きぼう》も持《も》っていなかったあたしには
歌《うた》は生《い》きる為《ため》の手段《しゆだん》に思《おも》えた
金《かね》も名誉《めいよ》も全部《ぜんぶ》欲《ほ》しかった
だけど今《いま》欲《ほ》しいものはただひとつ

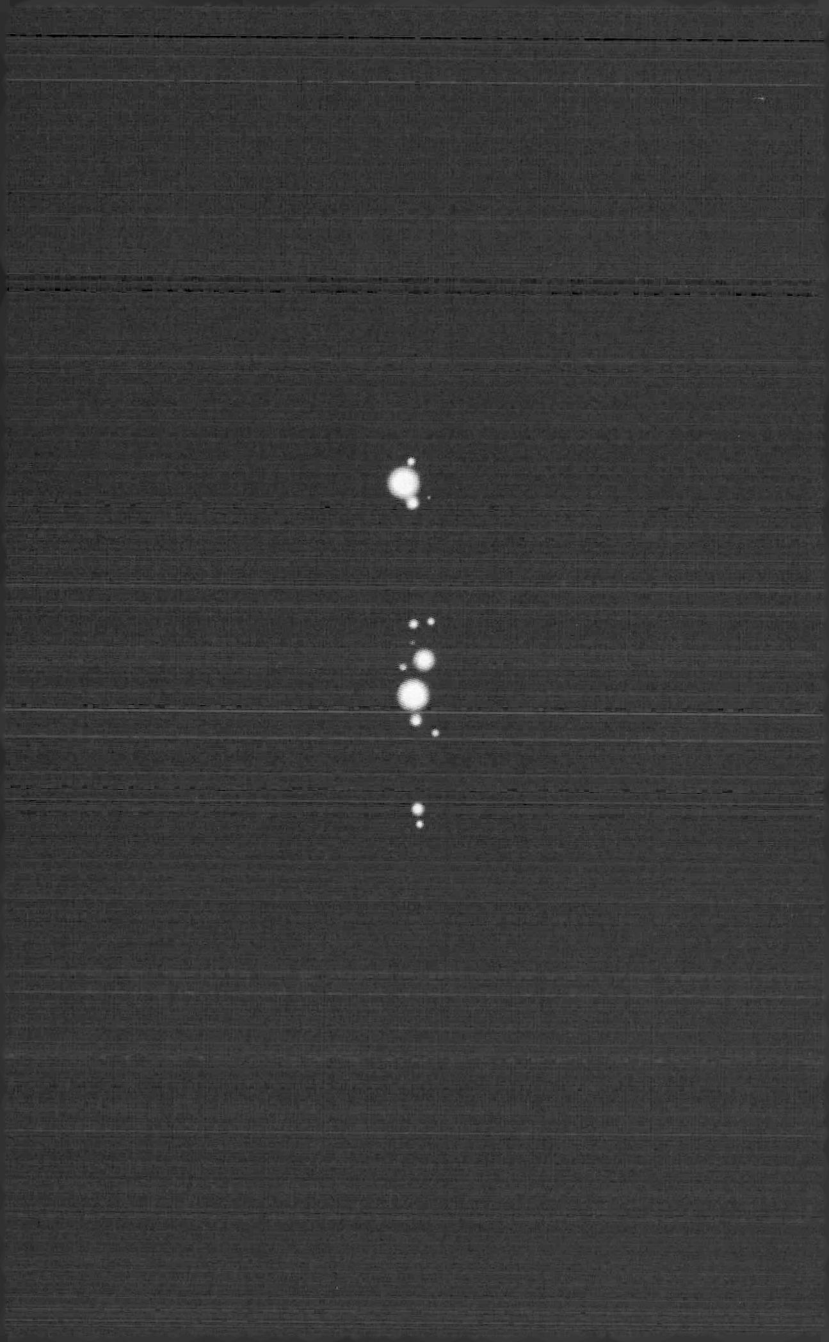

NANA—ナナ— ⑯／おわり

おまけページ

7F スナック
淳子の部屋

NANA

埼玉県 P.N YAKO

広島県 P.N ちあき

わたしたちの出会いは運命だと思うんだ。
GINPEI

広島県 P.N まきんこ

Shinichi
Layla

千葉県 長野優紀

福島県 P.N ぱぷりか

ノブ & 朝海

神奈川県 P.N ゆり

ねえ淳子《じゅんこ》さん
もう言《い》いたくないんだけどまたもやミスが発覚《はっかく》したよ
新潟県《にいがたけん》のK《ケー》さんから
聞《き》きたくない
じゃーいっか
いや良《よ》くねぇだろ
せっかくハガキ書いて来てくれたのに……

「こんにちは いつも楽《たの》しくNANA《ナナ》を 読《よ》ませて頂《いただ》いてます」
ありがとう
「今回《こんかい》15巻《かん》を読《よ》ませて 頂《いただ》いて気《き》になった事《こと》が あったのでハガキを書《か》き まし
あ
分《わ》かった！
162頁《ページ》の美鈴《みすず》の戸籍《こせき》でしょ？
「新戸籍編製《しんこせきへんせい》につき」 って所《とろ》の「編製《へんせい》」が 「編集《へんしゅう》」になってんのよ
いつもの写植ミスだよ
担当編集《たんとうへんしゅう》が 顔面蒼白《がんめんそうはく》で 増刷分《ぞうさつぶん》から直《なお》す って言《い》ってたし 大目《おおめ》に見《み》てよ
戸籍調査にはほんと苦労したらしいから
へーーー あんな漢字《かんじ》 だらけのコマ ちゃんと読《よ》む人《ひと》が いるんだね
絶対みんな読み飛ばすと思ってたのに
「あと」
まだ あるの？
もーいーって
「父母《ふぼ》の氏名《しめい》の下《した》に "女《おんな》"とありますが 父母《ふぼ》が婚姻中《こんいんちゅう》に 産《う》まれていれば "長女《ちょうじょ》"となるはずです」
……
なんでそんなに詳しいのよKさん…
「私《わたし》は仕事《しごと》で戸籍担当《こせきたんとう》を しているもので戸籍《こせき》に 間違《まちが》いがあってはいけない と思《おも》い日々《ひび》気《き》をつけて 仕事《しごと》をしています
どうしても気《き》になってしまい お手紙《てがみ》書《か》いてしまいました すみません」

へーーー戸籍担当！
なんでそんなちゃんとした人《ひと》がこんなちゃんとしてない人達《ひとたち》ばっかり登場《とうじょう》する漫画《まんが》なんか読《よ》むわけ？
人生に疲れてんのかな
だいたい間違《まちが》ったのは作者《さくしゃ》なんだから謝《あやま》る必要《ひつよう》ないって
人《ひと》が良《よ》すぎるよK《ケー》さん
疲れた時はマンガより僕を呼んでね♡
すんません…
確《たし》かにご指摘《してき》通《どお》りなので増刷分《ぞうさつぶん》から直《なお》すように手配《てはい》しますんで
ありがとうございます
じゃーこれ以上何《いじょうなに》か重大《じゅうだい》なミスが発覚《はっかく》する前《まえ》に店閉《みせじ》まいしてジャクソンにでも行《い》くか♡
やったーー♡
え？もう終《お》わり？
まだ3ページ…
だってこのあと番外編《ばんがいへん》も控《ひか》えてるし
あたしは伸夫物語《のぶおものがたり》なんか本気《ほんき》でどーでもいーし
じゃーね♡
ノブっていや今頃《いまごろ》どーしてんのかなぁ……
美里ちゃんもナナ達も……
ふ〜
しょーがねぇなあとでジョージに電話《でんわ》してみるか
やれやれ
〒101－8050
東京都千代田区一ツ橋2－5－10
集英社Cookie編集部気付
矢沢あい「淳子の部屋」係

☆え!? ヤスってジョージと友達《ともだち》なの？ ますます深《ふか》まるヤスの謎《なぞ》……。

子供《こども》の頃《ころ》好《す》きだったアメと同《おな》じ匂《にお》い！
アメ？

おれの生《う》まれ故郷《こきよう》は
来《き》て頂《いただ》ければ分《わ》かります
その時《とき》は是非《ぜひ》
寺島旅館《てらしまりよかん》にご宿泊《しゆくはく》を
美人《びじん》の女将《おかみ》が待《ま》ってるよ！

[NOBU]
ーノブー
[NANA 特別編]

寺島旅館
御自由にお取り下さい

伸夫《のぶお》ーーー！
何度《なんど》言《い》えば分《わ》かるの？
そのアメはお客様《きゃくさま》へのサービスでおまえの為《ため》のおやつじゃないの
言《い》う事《こと》聞《き》かない子《こ》は蔵《くら》に閉《と》じ込《こ》めなきゃね
がしっ
やだ やだ やだ やだ
あそこはオバケがいるもん！
びえ〜〜
ほんとだもん！
嫌《いや》ならもう食《た》べちゃダメ！
男がオバケごときで泣くな！

めそ
めそ
めそ
ノブくん
はいこれ あげる♡
パァ
ありがとう ユミちゃん!
二人《ふたり》だけの秘密《ひみつ》だよ♡
おれの初恋《はつこい》は4つの時《とき》
きゅん♥
うちの旅館《りょかん》で働《はたら》いていたユミちゃん(当時《とうじ》20歳《ハタチ》)

うちの母《かあ》ちゃんは自称《じしょう》「美人《びじん》の女将《おかみ》」だけど怖《こわ》かったし
伸夫ーー
いらっしゃいませーー
父《とう》ちゃんは放任主義《ほうにんしゅぎ》だったので
おれは無責任《むせきにん》に甘《あま》やかしてくれる従業員《じゅうぎょういん》が好《す》きだった
ちやほや
おぼっちゃま♡
というかあの頃《ころ》からすでに甘《あま》い誘惑《ゆうわく》には弱《よわ》かったんだな
ヒ♥ミ♥ツ♥
だけどおれが3年生《ねんせい》の夏《なつ》にユミちゃんは結婚《けっこん》して辞《や》めてしまった
もうおやつがもらえない
ノブーー ゲームありがとう
おもしろかった!
牛乳《ぎゅうにゅう》きらい……
でも飲《の》まないとまた先生《せんせい》におこられちゃう
ラストで泣いちゃったよ
え?
じゃーおれが飲《の》んであげるよ
ほんと?
じゃーーー全部《ぜんぶ》あげる♡
きゅん♥
おれは単《たん》に牛乳《ぎゅうにゅう》が好《す》きなだけだったんだけど
なのに背《せ》が伸《の》びなかったんだけど
ついでに森下《もりした》さんの事《こと》も好《す》きになってしまった
そもそもおれは惚《ほ》れっぽいんだよな

だけど5年生《ねんせい》の春《はる》に森下《もりした》さんは何処《どこ》か遠《とお》くの町《まち》(忘《わす》れた)に転校《てんこう》して行《い》った
もう牛乳《ぎゅうにゅう》がもらえない
ポトッ
きゃあ
いや～～～
なんか落《お》ちて来《き》た――
きゃあ きゃあ きゃあ
大丈夫《だいじょうぶ》だよ じっとして
どーした
ビク ビク ビク
大丈夫? トモちゃん
元気《げんき》でね♡
……………なんだった?
毛虫?
ううん ただの木《き》の実《み》だよ
なんだ―――
よかった!
ありがとう 寺島《てらしま》くん♡
次《つぎ》に好《す》きになったのはガールスカウトに入《はい》ってるくせに虫《むし》も触《さわ》れない智世《ともよ》ちゃん(同《おな》い年《どし》)
ポッ♥

森下《もりした》さんといい女《おんな》の子《こ》ってか弱《よわ》いんだな♡
伸夫ー
いやそれはか弱《よわ》いのとは違《ちが》うだろ寺島《てらしま》くん
お帰りなさいおぼっちゃま♥
つーか惚《ほ》れっぽいにも程《ほど》があるぞ
そんなツッコミ所《どころ》満載《まんさい》のおれは
あの頃《ころ》からすでに困《こま》っている女《おんな》の子《こ》を助《たす》けてはヒーロー気分《きぶん》を満喫《まんきつ》していたんだろうな
手《て》がベトベト
おれがやってあげるよ♡
そんなわけでガールスカウトとの合同行事《ごうどうぎょうじ》を毎回《まいかい》楽《たの》しみにしてたんだけど
トモちゃんは?
こないだ辞《や》めたよ
……
パカッ
よろしくおねがいしまーす
募金
募金
募金
楽《たの》しみにしてたのはおれだけらしい
まあまたときめく出会《であ》いがあるさ
まだときめく気《き》か
伸夫《のぶ》ブレザーでかすぎ
ノブちゃんおはよー
ゲラゲラ
おはよーノブー
第一中学校
入学式
入学《にゅうがく》おめでとうございます
オープニングは軽音部有志《けいおんぶゆうし》による演奏《えんそう》です
ギュイーン
新入生歓迎会
お楽《たの》しみ下《くだ》さい

ねーー ケーオン部《ぶ》って何《なに》？
ロックバンドとかやるクラブだろ？
おもしろそーだよな♪
へーー そんなのあるんだ
なんかかっこいーー♡
きゅん♥
なーー それより寺島《てらしま》ん家《ち》ってもしや寺島旅館《てらしまりょかん》？
新入生歓迎会

レンの〝華麗《かれい》〟としか言《い》い様《よう》がないギターソロから始《はじ》まったそのロックバンドは
レンにだけスポットライトが当《あ》たってるように見《み》えた

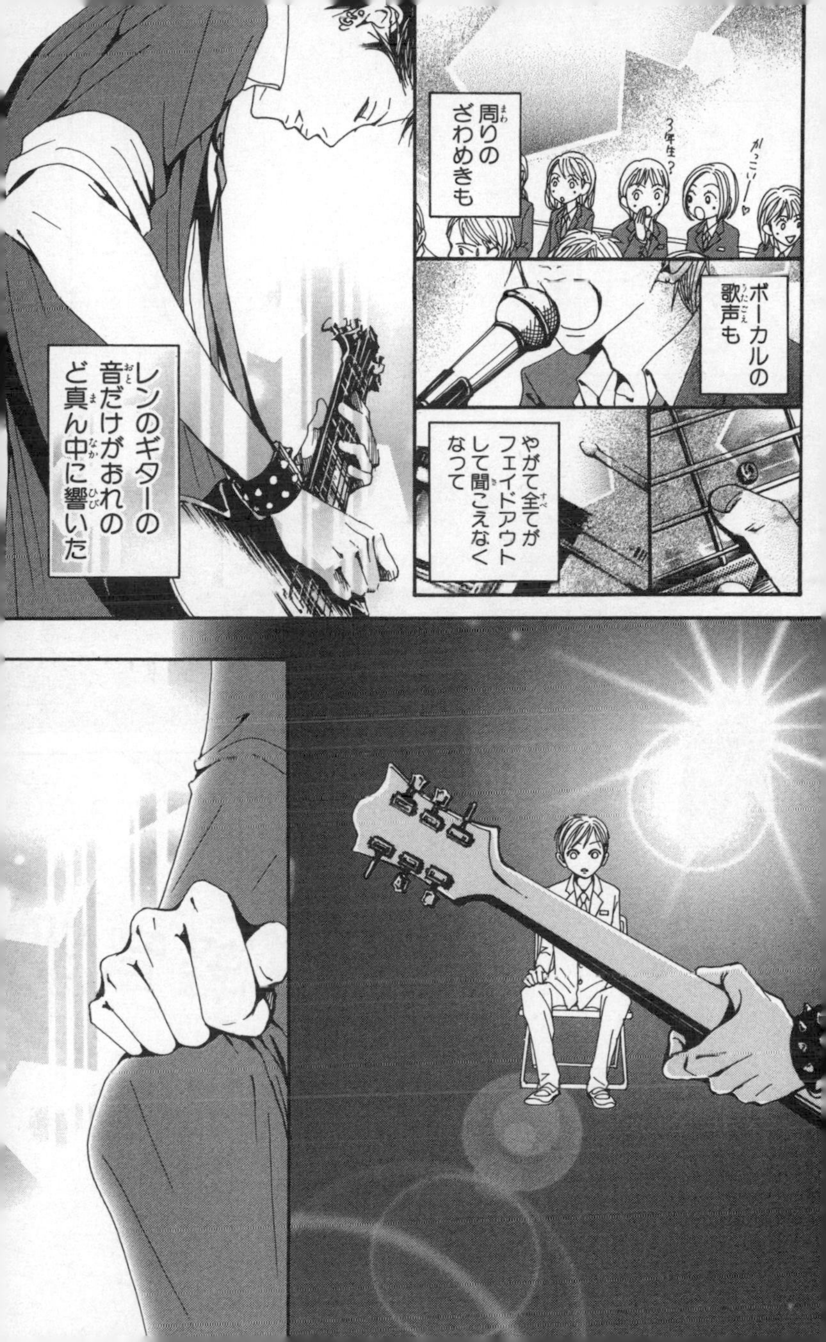
周《まわ》りのざわめきも
かっこいー!♡
3年生?
ボーカルの歌声《うたごえ》も
やがて全《すべ》てがフェイドアウトして聞《き》こえなくなつて
レンのギターの音《おと》だけがおれのど真《ま》ん中《なか》に響《ひび》いた

出《で》会《あ》ってしまったんだ
この上《うえ》なく
とてつもなく
ときめくものに
軽音部
こんにちは——!

おーノブ
あ
レン！珍《めずら》しいね部活《ぶかつ》に顔出《かおだ》すなんて
元気ー？
一服《いっぷく》しに来《き》ただけだよ
チクんなよ
うわーーノブのやつ本城《ほんじょう》さんの事《こと》呼《よ》び捨《す》てだよ
しかもタメ口《ぐち》
おまえ そのギターどーしたの？
純正ギブソンかよ……
父《とう》ちゃんに買《か》ってもらったんだ♡
腕《うで》もねえのにぜーたくだな
さすがおぼっちゃま
でもだいぶ弾《ひ》けるようになったよ！
あ そーだ
おまえチケットさばけ ムダにダチ多《おお》いんだろ？
何《なん》のチケット？
Lynx
当時《とうじ》中《ちゅう》3だつたレンはほとんど幽霊部員《ゆうれいぶいん》だつたけど
外《そと》では年上《としうえ》の連中《れんちゅう》とバンドを組《く》んですでにライブハウスに出始《ではじ》めていた

それが「ブルート」だった
何《なに》これ!!
ボーカルの「アルト」は歌《うた》ってんだかわめいてんだか分《わ》かんねぇようなネジの外《はず》れた男《おとこ》で
ベースの「タイガ」は演奏中《えんそうちゅう》でも堂々《どうどう》とビールを一気《いっき》飲《の》みするふてぶてしさだった
学校《がっこう》では硬派《こうは》で通《とお》っているレンは絡《から》みついて来《く》る客《きゃく》に愛《あい》の大安《おおやす》売《う》り
キャー

そんな中《なか》
黙々《もくもく》と正確《せいかく》なリズムを刻《きざ》み続《つづ》けるヤスだけが
唯一《ゆいいつ》まともな人《ひと》に見《み》えた
あの時《とき》はまだ毛《け》もあつたし
楽《たの》しかった——!
おれもパンクバンドがやりた——い!
おつかれさまー
……
アルト——♡
あの頃《ころ》のおれにはレンのやる事《こと》なす事《こと》全《すべ》てが眩《まぶ》しかつた
人《ひと》はそれを恋《こい》と呼《よ》ぶ
誰《だれ》?
中学《ちゅうがく》の後輩《こうはい》
学校《がっこう》行《い》ってんのかおまえ
そりゃよかった
……
打《う》ち上《あ》げ行《い》くぞー!
ついて来ーい!!
きゃ—♡

おれも行《い》って いい？
みんな帰っちゃったし
ダメ
お子《こ》ちゃまは ママと寝《ね》ろ
その時《とき》もしも レンの言《い》う事《こと》を 聞《き》かずに あの グルーピーの お姉《ねえ》さん達《たち》と 仲良《なかよ》くして いたら
おれの青春《せいしゅん》は もっと楽《たの》し…
いや人生《じんせい》 そのものが 狂《くる》っていた 気《き》がする
バイバ〜〜イ
今度《こんど》筆《ふで》下《お》ろししてあげるね−♡
？
うん
バイバイ
今《いま》にして思《おも》うと
あんなふざけた バンドのリーダーで 弱冠《じゃっかん》高校《こうこう》一年生《いちねんせい》 だったヤスが
本当《ほんとう》に一人《ひとり》だけ まともだったのか 大《おお》いに疑問《ぎもん》だ

カシャッ
セックス・ピストルズ／勝手にしやがれ!!
ねえピストルズの CD《シーディー》とバンドスコア 買《か》ったからコピろうよ
え？
嫌《いや》
GIGS
おれは中学《ちゅうがく》の3年間《ねんかん》は 軽音部《けいおんぶ》の同級生《どうきゅうせい》と バンドを組《く》んでいて
邦楽洋楽《ほうがくようがく》問《と》わず 流行《はや》りの曲《きょく》を 片《かた》っぱしから コピーした―
それはもう 寝《ね》る間《ま》も 惜《お》しんで
ズ…

おかげで彼女《かのじょ》も出来《でき》なかったし
第一志望《だいいちしぼう》の高校《こうこう》にも落《お》ちた
言《い》い訳《わけ》くさいけど
合格者発表
まぁいーや
すべり止《ど》めは受《う》かったし♡
やったー♪
どーだったノブー
ばかやろう！
もうギターなんか弾《ひ》くな！
放任《ほうにん》だった親父《おやじ》がとうとうキレた
フリーズ
買《か》い与《あた》えたのはキミじゃないか和夫《かずお》
どこにあるんだマイギター！
どうかしました？おぼっちゃま
どこへ行《い》ったマイハニー！
どーしたんスか？ぼっちゃん
おまえがいないとおれは生《い》きてなど行けないよ！

うっうっうっ…
ちきしょ〜〜〜
ぜって——こんな旅館《りょかん》継《つ》いでやんね——
オバケもいるし…
しかもいっぱい……
くすくす
親父《おやじ》にとっては皮肉《ひにく》な話《はなし》だろうけど
おれはあの時《とき》ギターを奪《うば》われた事《こと》で
自分《じぶん》がどんだけギターを弾《ひ》くのが好《す》きかが身《み》にしみてよく分《わ》かったんだ
三本石油
MIMOTO
いらっしゃいませ——!
ハイオク満《まん》タンで

レン♡
久《ひさ》しぶり——!
元気《げんき》——?
何《なに》してんだおぼっちゃま
親父《おやじ》にギター取《と》り上《あ》げられたから自分《じぶん》で買《か》う事《こと》にしたんだ
それでこそマイギターだしね
……
ギタリスト仲間《なかま》?
おふくろは社会勉強《しゃかいべんきょう》になるだろうと言《い》ってバイトをする事《こと》を反対《はんたい》はしなかった
親父《おやじ》は何《なに》も言《い》わなかった
ただいみゃ
……
つーか口《くち》をきいてくれなくなった

がんばって前《まえ》より いいギターを買《か》って やろうと思《おも》った
その為《ため》に汗水流《あせみずなが》して 働《はたら》いている自分《じぶん》は 急《きゅう》に一人前《いちにんまえ》に なれた気《き》がした
赤《あか》ぎれの 薬《くすり》ある?
ヒリ ヒリ
あらあら
軟弱ね
だけど それは 気《き》のせいで
毎日腹《まいにちはら》いっぱい 飯《めし》が食《く》えるのも あったかい部屋《へや》で 眠《ねむ》れるのも 高校《こうこう》へ 進学出来《しんがくでき》たのも 全部親《ぜんぶおや》のおかげ だったのに
おれにはあたり前《まえ》すぎて
全《まった》くそのありがたみなんて 分《わ》かっていなかったんだ
大崎《おおさき》ナナです

自己紹介
おいそれだけか大崎《おおさき》――
カタッ
うわ――
超美形《ちょうびけい》
芸能人《げいのうじん》みたい
何者《なにもの》?
ピー
しょうがないな
ピー
ピー
つーか誰《だれ》だポケベル鳴《な》らしてんのは――
も~
超気《ちょうき》になる♡
ねーね――
大崎《おおさき》ってどこの中学出身《ちゅうがくしゅっしん》なの?
つーかジャパニーズ?
そもそも地球人?
ざわ
ざわ
バイバーイ
また明日
……
……
パタパタ
ぷ
さっそくふられてやんの
ゲラゲラゲラ
おはよ――大崎《おおさき》!
ぷ
おはよ――ナナちゃん♡
ふん
おはようナナ
~~~
も――諦《あきら》めろよ…
~~~

いやおれは諦《あきら》めないぞ中本《なかもと》
中本
だって「大崎《おおさき》はおれを嫌《きら》いと」言《い》うより
おれを含《ふく》む地球上《ちきゅうじょう》の全《すべ》てのものを嫌《きら》ってるように見《み》えないか？
どこへ行《い》くナナ
何《なに》それ独《ひと》り言《ごと》？
さみしーねノブちん
GITERM
そんなの寂《さび》しいじゃないか
おれじゃなくて大崎《おおさき》がっ
何《なに》かひとつでも好《す》きなものがあれば
世界《せかい》はこんなに楽《たの》しいのに
ガシャッ

ありがとう これ
またいいのあったら貸《か》して
やっぱり音楽《おんがく》は
人《ひと》の心《こころ》を動《うご》かす不思議《ふしぎ》なパワーがあるんだと思《おも》った
でも それはたぶん
人《ひと》の心《こころ》から生《う》まれるものだからだよね
見《み》て見《み》て!
紹介《しょうかい》しますニューマイハニー♡

ジャーン♪
……
5月《がつ》の終《お》わり
おれは念願《ねんがん》のギターを手《て》に入《い》れた
いい女《おんな》だな
おれにもやらせろよ
ダーメ♡
三本石油
え？
辞《や》める？
はい
おかげ様《さま》でこんなに立派《りっぱ》なギターが買《か》えました♡
ありがとうございます
何《なに》言《い》ってんだよ！
ふざけんなァっ

こんな毎日《まいにち》のようにシフト入《い》れといていきなり辞《や》められたら困《こま》るよ
しかもたった3か月《げつ》で…
非常識《ひじょうしき》なやつだな
これだからボンボンは…
そっか
すいません
つい うかれちゃって
分《わ》かりました！
新《あたら》しい人《ひと》が入《はい》るまではちゃんと働《はたら》きます！
よし がんばれ！
おまえは真面目《まじめ》で接客態度《せっきゃくたいど》もいいしこれからも頼《たよ》りにしてるぞ
旅館が嫌ならうちを継げ
………
はい
せっかくギターが手《て》に入《はい》ったのに
このままじゃ学校《がっこう》とバイトで時間《じかん》が埋《う》まってバンドが組《く》めねぇよ
人生《じんせい》って思《おも》うように行《い》かないね
てゆーか そんな計画性《けいかくせい》のないシフトの入《い》れ方《かた》したあんたがアホなのよ
…
………
そーだけど…… 早く欲しかったんだもん

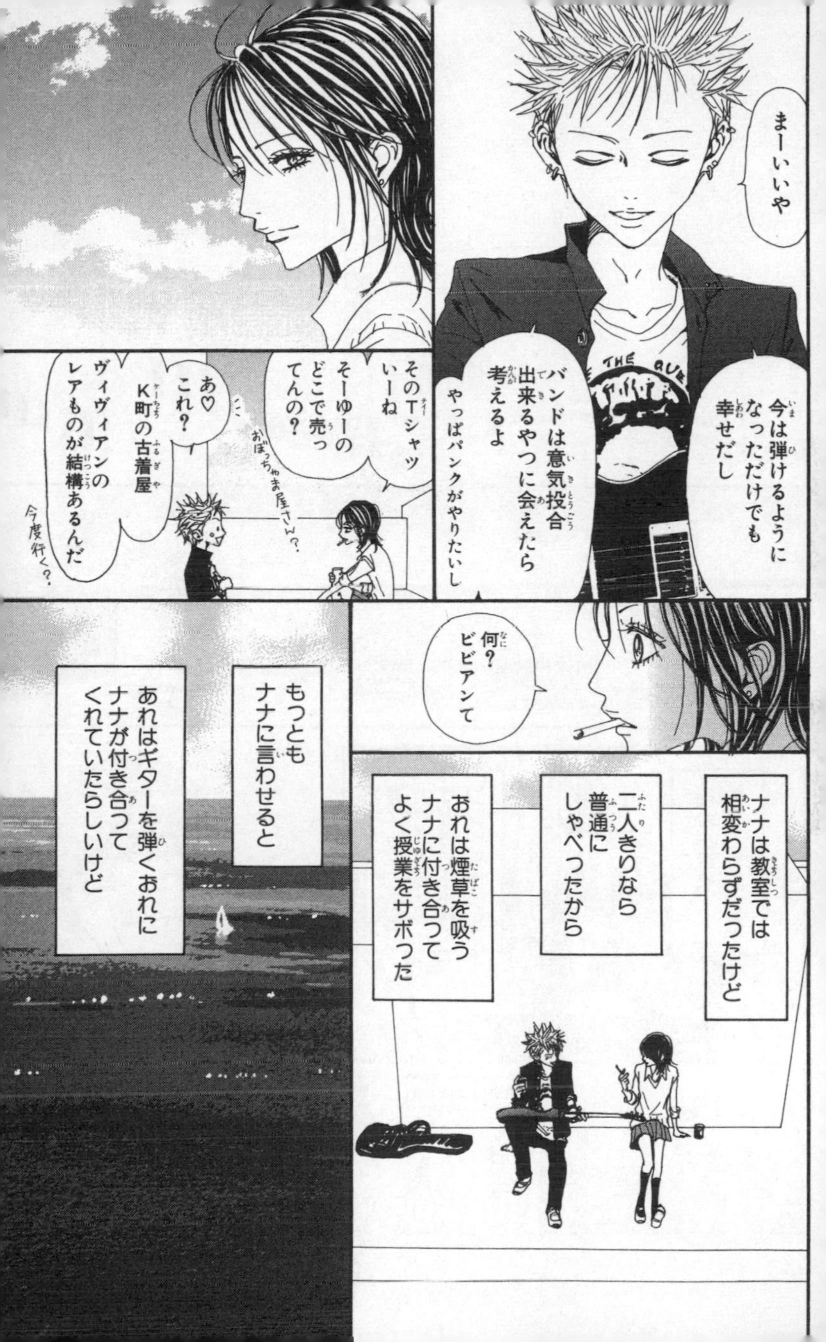
まーいいや
今《いま》は弾《ひ》けるようになっただけでも幸《しあわ》せだし
バンドは意気投合《いきとうごう》出来《でき》るやつに会《あ》えたら考《かんが》えるよ
やっぱパンクがやりたいし
そのT《ティー》シャツいーね
そーゆーのどこで売《う》ってんの？
おぼっちゃま屋さん？
あ♡これ？
K町《ケーちょう》の古着屋《ふるぎや》
ヴィヴィアンのレアものが結構《けっこう》あるんだ
今度行く？
何《なに》？ビビアンて
ナナは教室《きょうしつ》では相変《あいか》わらずだったけど
二人《ふたり》きりなら普通《ふつう》にしゃべったから
おれは煙草《たばこ》を吸《す》うナナに付《つ》き合《あ》ってよく授業《じゅぎょう》をサボった
もっともナナに言《い》わせると
あれはギターを弾《ひ》くおれにナナが付《つ》き合《あ》ってくれていたらしいけど

おかげで
1学期《がっき》の成績《せいせき》は
2人《り》して散々《さんざん》で
バカにし合《あ》って
腹《はら》の底《そこ》から
笑《わら》った
いらっしゃいませ――!
夏休《なつやす》みに入《はい》ると
おれは店長《てんちょう》に
すがられるまま
シフトを増《ふ》やし
きっ
朝《あさ》から晩《ばん》まで
汗《あせ》だくで働《はたら》いた
¥CASH dispenser
すげ――
超《ちょう》金《かね》持《も》ち
フェンダーも買《か》お♡
マーシャルのアンプも買《か》える♡

ナナとは時々《ときどき》電話《でんわ》で話《はな》すだけだったけど
向《む》こうもバイトに励《はげ》んでるらしく普通《ふつう》に元気《げんき》そうだったからそれで満足《まんぞく》した
おれはナナにはあんな事《こと》やそんな事《こと》をしたいとは別《べつ》に思《おも》わなかったし
なんでだろう
おれより男前《おとこまえ》だから？
もんもん
つーかおれ このままギターばっかいじってる間《ま》に青春《せいしゅん》が終《お》わったらどーしよ――
そうして夏休《なつやす》みが明《あ》けると
ナナの援助交際疑惑《えんじょこうさいぎわく》があっと言《い》う間《ま》に広《ひろ》まった
何故《なぜ》だ
なんで否定《ひてい》しねえんだよ！
濡《ぬ》れ衣《ぎぬ》着《き》せられたまま退学《たいがく》になってもいーの？
別《べつ》にいーよ
どーせ辞《や》めるつもりだったし

なんで…？
まだ入学《にゅうがく》して半年《はんとし》じゃねぇか…
もーちょっとがんばろーよ
夜《よる》は店《みせ》の手伝《てつだ》いで学校《がっこう》行《い》きながらじゃバイトも出来《でき》ないから昼間《ひるま》働《はたら》いて稼《かせ》ぎたいの
なんか欲《ほ》しいもんがあるの？
おぼっちゃまの発想《はっそう》だね

おれは言《い》われて当然《とうぜん》の ただの道楽息子《どうらくむすこ》だったんだけど
なんだよ 人《ひと》が本気《ほんき》で 心配《しんぱい》してんのに あんな嫌味《いやみ》 言《い》わなくても
悪かったな おぼっちゃまで
もー 勝手《かって》に しろよ!
あばよ!
一方的《いっぽうてき》に小《こ》バカに されて激《はげ》しくムカついた
でも今思《いまおも》うとあれは
おれとは根本的《こんぽんてき》に 分《わ》かり合《あ》えないと 言《い》われた気《き》がして
寂《さび》しかったんだよな
元気《げんき》 出《だ》せよ 伸夫《のぶお》
おれの 彼女《かのじょ》の友達《ともだち》 紹介《しょうかい》する からさ
よかったね ノブちん♡
この髪型なら 女にもモテるよ
そんなに やせ ちゃって
ますます ちっちゃいな
よしよし
あんぱん 食いな
ほれ
いつなら 空いてる?
おれはどーやらナナに 裏切《うらぎ》られて捨《す》てられた 男《おとこ》としてクラスメイト から同情《どうじょう》されている らしかった
だから援交《えんこう》は濡《ぬ》れ衣《ぎぬ》 なんだってば
おれとナナも 別《べつ》にそーゆー 関係《かんけい》じゃ ねえし
やせたのは バイトがハードで……
分《わ》かった 分《わ》かった
とにかく会《あ》って やってよ
F女《エフじょ》のお嬢様《じょうさま》だし おまえにはピッタリだろ?
ぜってー気《き》が合《あ》うって♡

初《はじ》めまして——
佐々《さ さ》木《き》千《ち》帆《ほ》です♡
………
きゅ〜〜ん♥
ね〜ね〜
寺島旅館に遊び行ってい〜〜?
いきなり棚《たな》ぼたのように美味《おい》しそうな…
いやイケてる彼女《かのじょ》が出来《でき》ておれの道楽人生《どうらくじんせい》は更《さら》に忙《いそが》しくなった
水瓶座《みずがめざ》と天秤座《てんびんざ》って相性《あいしょう》い〜んだって——
そーなの?
うん! チョベリグ♡
ちょ——うれしー♡
かわいい♡
コギャルだけど
放課後《ほうかご》はバイトまでの短《みじか》い合《あ》い間《ま》に星占《ほしうらな》いとかをして♡

もちろんそれでは物足《ものた》らず
門限《もんげん》の厳《きび》しい彼女《かのじょ》の家《いえ》で夜中《よなか》に頻繁《ひんぱん》に木登《きのぼ》りまでした
ミャー
しー
まるで猿《さる》だ
そんな幸福《こうふく》で平和《へいわ》な2か月《げつ》が過《す》ぎた頃《ころ》
さぶ〜
指がかじかんで動かね〜
1人《り》屋上《おくじょう》で授業《じゅぎょう》をさぼっていたら

いつもより早《はや》い初雪《はつゆき》が降《ふ》った
あれ？さっきまで晴《は》れてたのに
どーりで寒いや
カラッ…
カラカラカラ…
やべっ
しーん…
……
？

扉《とびら》は確《たし》かに
開《あ》いて
いるのに
どこにも
人《ひと》の気配《けはい》は
なくて
立《た》ち去《さ》る
足音《あしおと》さえ
聞《き》こえな
かった
怖《こわ》っ!!
やめてよ!
誰《だれ》?
とたんに嫌《いや》な
胸騒《むなさわ》ぎがした

ずっと頭《あたま》の片隅《かたすみ》で
気《き》になっていた
ナナの事《こと》が
みるみる
体中《からだじゅう》に広《ひろ》がった
ASTEL
ピッ
ナナだ…
プルル
ナナがきっと
おれに会《あ》いに
来《き》たんだ
プルル
あいつは
おれ以外《いがい》
友達《ともだち》が
いないのに
プルル
なんで
放《ほ》ったらかしたり
したんだよ
プッ
はい

大崎《おおさき》で…
ナナ!?
よかった〜〜〜
生《い》きてたか!
も〜
元気《げんき》?
おい
どした
なんか言《い》えよ
……
ひっく…
ナナ?
どーーしたんだよ

おばあちゃんが死《し》んだ……
小料理
美雪

ガチャッ
久《ひさ》しぶり
なんかまた背が伸びてる
ナナがたった1人《り》の肉親《にくしん》を亡《な》くしたのは1か月《げつ》も前《まえ》の事《こと》だった
どんなに寂《さび》しくて心細《こころぼそ》かっただろう
ナナに根《ね》を張《は》る孤独《こどく》はおれには計《はか》り知《し》れないけど
何《なに》かひとつ位《くらい》してやれる事《こと》が
おれにもきっとあったのに
あ
湯《ゆ》飲《の》みもう箱《はこ》にしまっちゃったよ

引《ひ》っ越《こ》し？
だってこんなとこに一人《ひとり》で住《す》んでてもしょーがないし家賃払《やちんはら》い続《つづ》けられないもん
どこに引《ひ》っ越《こ》すの？
S町《エスちょう》の風呂《ふろ》なしアパート
ビールでいい？
冷えてないけど
なんだ！
じゃーおれん家《ち》に近《ちか》いじゃん♡
風呂ならうちで入れよ
♪
別《べつ》にあんたん家《ち》の近《ちか》くだからじゃないよ
職場《しょくば》の近《ちか》くなのっ
ああ
おまえ今《いま》なんの仕事《しごと》してんの？
ビルの清掃《せいそう》
今《いま》は夜《よる》も工場《こうじょう》で弁当《べんとう》詰《つ》めてる
S町はそっち
カタギだな
えらいえらい♪
今日《きょう》は休《やす》み？
明日《あした》引《ひ》っ越《こ》しだから2日《か》間《かん》休《やす》みもらったのよ
手伝ってよ荷作り
プシュッ
明日《あした》？
そっか…
せめてそれに間《ま》に合《あ》って良《よ》かったよ
はー
おまえピッチもベルも持《も》ってねえし連絡《れんらく》つかなくなるとこだったじゃん
あぶねえあぶねえ

そっか
それで ばーちゃんが あわてて…
え？
あ いや こっちの こと
それより おばあちゃんの 仏壇《ぶつだん》はどこ？
おー――
いーじゃん 手作《てづく》りの味《あじ》わい♡
おばあちゃんも 喜んでるよ
悪《わる》かったね ビンボーで
てゆーか 仏壇《ぶつだん》なんか買《か》っても 持《も》ってけないもん
ああ 明日《あした》の引《ひ》っ越《こ》しも 手伝《てつだ》うよ♡
学校《がっこう》で屋上《おくじょう》に いるよりはずっと 有意義《ゆういぎ》だよな
モー 寒いし
それより さっさと 荷作《にづく》り 手伝《てつだ》ってよ

チン…
シュボッ!
ナナのおばあちゃん
今日《きょう》はわざわざ知《し》らせに来《き》てくれてありがとう
おれはこの先《さき》
どんなにムカついてもケンカしてもナナとはすぐに仲直《なかなお》りするようにがんばるよ
ナナはべっぴんさんだから
その気《き》になれば彼氏《かれし》の1人《り》や2人《り》すぐに出来《でき》ると思《おも》うけど
その気《き》になっても友達《ともだち》は上手《じょうず》に作《つく》れないと思《おも》うんだ

だからおれが
一生《いっしょう》 友達《ともだち》でいるよ
どうか安心《あんしん》して
天国《てんごく》へ行《い》って下《くだ》さい
あれから5年《ねん》
あの時《とき》の
誓《ちか》いを
おれは今《いま》も
密《ひそ》かに守《まも》り
続《つづ》けている

いらっしゃいませ――!
アルバイト 寺島伸夫
ハイオク満《まん》タンで♡
レン♡車《くるま》買《か》ったの?
かっけ
こんな高《たけ》え車《くるま》買《か》えるわけねえだろ
今《いま》整備工場《せいびこうじょう》で働《はたら》いてんだよ
お客様のっ
いーなー♡
おれも早《はや》く18になって免許《めんきょ》が欲しいよ
車《くるま》も欲《ほ》しいしがんばって働《はたら》かなきゃ
ノブ……
おまえその調子《ちょうし》だとクリスマスもバイト?
そいでチホとドライブしたり
ううん
彼女《かのじょ》の為《ため》に空《あ》けてるよ♡
え?
おまえいつの間《ま》に彼女《かのじょ》が出来《でき》たの?
おれにもヤらせろよ
ダメ
じゃーこれは筆《ふで》下《お》ろし祝《いわ》いにプレゼントしてやるよ
クリスマスライブのチケット2枚《まい》♡

とゆーわけで一緒《いっしょ》に行《い》く？
どーゆーわけよ
なんであたし？
レンの事《こと》紹介《しょうかい》するよ ぜってー気《き》が合《あ》うと思《おも》うんだ
ナナに彼氏《かれし》が出来《でき》ればおれも安心《あんしん》だし♡
そんな心配《しんぱい》してくれなくていーって
うざい
あんたクリスマス位《くらい》彼女《かのじょ》とデートしてやんなよ
だって千帆《ちほ》のやつクリスマスは毎年《まいとし》家族《かぞく》と過《す》ごして教会《きょうかい》に行《い》くって言《い》うんだもん
クリスチャンなんだよ
こんな時だけ
へー
口実《こうじつ》くさいね 他《ほか》に男《おとこ》がいるんじゃないの？
……
かわいそーだから一緒《いっしょ》に行《い》ってあげるよ♡
次《つぎ》の夏《なつ》に千帆《ちほ》と別《わか》れたのは
他《ほか》に男《おとこ》がいたからというわけでは決《けっ》してない
はず

おれの方《ほう》が他《ほか》に女《おんな》がいるって疑《うたが》われていたからだ
だからナナとはそーゆーんじゃねえって
信じてよ
だったら一緒《いっしょ》にバンドなんか組《く》まないで！
その子《こ》とあたしとどっちが大事《だいじ》なの？
それは「ギターとあたしとどっちが大事《だいじ》なの？」って問《と》われるのと同《おな》じ位《くらい》
答《こた》えようがなかった

それから先《さき》もおれは
彼女《かのじょ》が出来《でき》ても
必《かなら》ず似《に》た様《よう》な事《こと》を
言《い》われた
どんなに引《ひ》かれ合《あ》つても
お互《たが》いの大切《たいせつ》なものを
認《みと》め合《あ》えない相手《あいて》とは
上手《うま》くやれないんだと
いう事《こと》に気《き》づいた

ブラストがプロデビュー出来ますように
別《べつ》にどっちの子《こ》でも
奈々《なな》が産《う》みたいんなら
おれは認知《にんち》して面倒《めんどう》みて
やろうと思《おも》うんだけど
おまえはどう思《おも》う？
おれは
ノブ？

まだ起《お》きてたの？
BLACK STONES
おまえがアメの匂《にお》いなんかさせるから昔《むかし》の事《こと》色々《いろいろ》思《おも》い出《だ》しちゃったよ…
なんて煩悩まみれの人生なんだ…
もーやだ…
それよりまた怖《こわ》い夢見《ゆめみ》ちゃった
何《なに》？
オバケ？
ミューさんが井戸《いど》から出《で》て来《く》る夢《ゆめ》

この幸福《こうふく》で平和《へいわ》な時間《じかん》がずっと続《つづ》けばいいのに
それはいつも切実《せつじつ》な願《ねが》い
だけど現実《げんじつ》は容赦《ようしゃ》なくておれは頼《たよ》りなくて
朝海《あさみ》を食《く》わせてやるって言《い》った事《こと》もナナのおばあちゃんとの約束《やくそく》も
本当《ほんとう》に守《まも》り通《とお》せるかは分《わ》からない
だけど希望《きぼう》は捨《す》てないよ

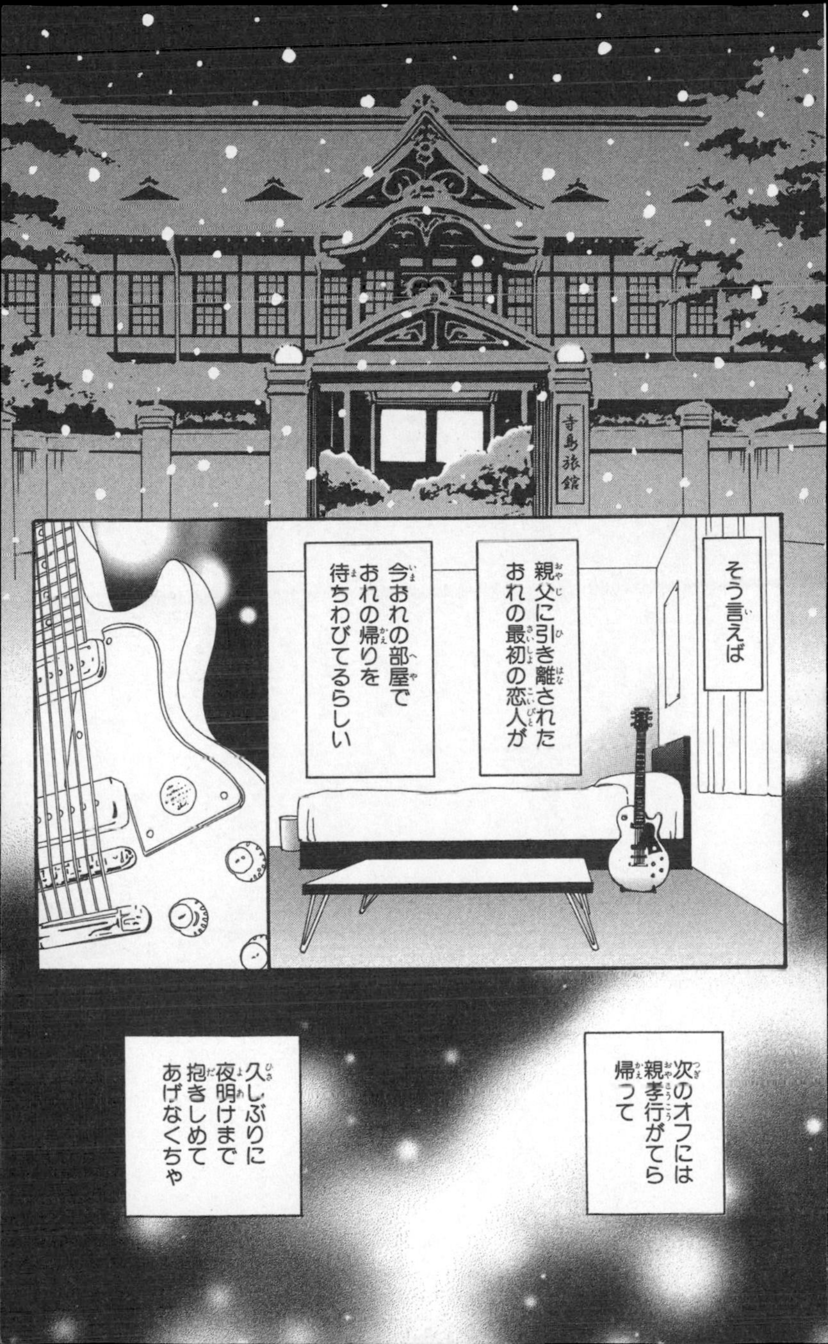
寺島旅館
そう言《い》えば
親父《おやじ》に引《ひ》き離《はな》されたおれの最初《さいしょ》の恋人《こいびと》が
今《いま》おれの部屋《へや》でおれの帰《かえ》りを待《ま》ちわびてるらしい
次《つぎ》のオフには親孝行《おやこうこう》がてら帰《かえ》って
久《ひさ》しぶりに夜明《よあ》けまで抱《だ》きしめてあげなくちゃ

ちょっと泣《な》ける位《くらい》素敵《すてき》なメロディーが
生《う》まれそうな気《き》がするんだ
ＮＯＢＵ−ノブ− ／おわり

おまけページのおまけ

起《お》きて下《くだ》さい隊長《たいちょう》！
いよいよイザベラの館《やかた》に突撃《とつげき》です！
…………
バサ
バサ
バサ
はー〜
なんだ夢《ゆめ》か…
ガッカリ
どんな夢《ゆめ》ですか？
ハチ子さんとハネムーンの？
AV《エーブイ》女優《じょゆう》の百合《ゆり》ちゃんとラブラブの夢《ゆめ》
柔《やわ》らかくていー匂《にお》いだった♡
ガツ

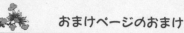

ヒーローともあろう人《ひと》がそんないやらしい夢《ゆめ》を見《み》たなんて口《くち》が裂《さ》けても言《い》わないで下《くだ》さい！全国《ぜんこく》の乙女達《おとめたち》が傷《きず》つきます！
口《くち》じゃなくて頭《あたま》が裂《さ》けたよ！
殺す気か！
ねえジョージ
N《ナ》A N《ナ》Aの映画《えいが》の2《ツー》のキャストが一部変更《いちぶへんこう》になるってご存知《ぞんじ》？
ああハチとレンとシン役《やく》だろ？
そりゃ月日《つきひ》の流《なが》れと共《とも》に人《ひと》の事情《じじょう》なんて変《か》わるよ
丸山《まるやま》くんだってせっかく髪《かみ》が伸《の》びただろうにまた剃《そ》るのか？
たかがヤスの為に
1《ワン》が好評《こうひょう》だっただけに役者《やくしゃ》さんはプレッシャーが大《おお》きいかもしれないわね
みんなで力《ちから》を合《あ》わせてがんばって欲《ほ》しいわ
何《なに》か栄養《えいよう》がある物《もの》を差《さ》し入《い》れしようかしら

いい匂《にお》いがするな…
なんてフレッシュな血《ち》の香《かお》り……
若い人間の男ね♥
今夜《こんや》はごちそうだな
差《さ》し入《い》れにももって来《こ》いだ
鉄分《てつぶん》たっぷりね♡
GUEST ROOM
じゃあ お薬《くすり》つけますねー♡
動《うご》いちゃダメですよ——♡
ピト♥
きゅ〜〜ん♡
ガチャッ

…………
これは失礼《しつれい》
てっきり侵入者《しんにゅうしゃ》かと思《おも》ってね
実和子《みわこ》の客《きゃく》だったのか
イメクラごっこかな?
楽しそうだな
あ ジョージ
紳士《しんし》ならお客様《きゃくさま》のお部屋《へや》に入《はい》る時《とき》はノックしなきゃダメだよ?
……
すいません
実和子《みわこ》のってわけじゃないけど
勝手《かって》に館《やかた》に入《はい》って来《き》てウロウロしてたお客様《きゃくさま》だよ♡
………
実和子《みわこ》
そういうのは一般的《いっぱんてき》に客《きゃく》とは言《い》わないんだよ
しいて言えばただの危ない人だ
……
そーなの?
どーしよー
でもおまえが先《さき》に見《み》つけたんだからおまえの獲物《えもの》だ
好《す》きに料理《りょうり》すればいいさ

パタン
よかった♡
じゃあチョコレートと生《なま》クリームをかけてチョコバナナパフェにしようかな♡
大好物なの♡
実和子《みわこ》ちゃん？
どこにかける気？
さっきも話《はな》した通《とお》りおれはナナとハチを探《さが》してこの館《やかた》まで来《き》たんだよ
別に危ない人じゃないから
2人《り》がどこにいるか知《し》らない？
知《し》ってるよ？
ほんとに？
でも話《はな》しちゃっていいのかなあ…
大丈夫《だいじょうぶ》だよ！
君《きみ》から聞《き》いたなんて絶対誰《ぜったいだれ》にも言《い》わないから！
頭が裂けても
シャカシャカ
シャカ
でも…
せっかくここまでがんばって来《き》たのに
ネタバレしたらつまんなくない？

いや楽《たの》しくなくて
いーんだよ
かわいーなーもー
ブルルルル
美里《みさと》ちゃん？
ナナとハチの居所《いどころ》が分《わ》かったぞ！
ほんとですか？
さすがヒーローです！
今《いま》すぐ助《たす》けに向《む》かいましょう！
でも今《いま》ちょっと
いー感《かん》じだから
それは次《つぎ》の巻《かん》にしない？
なんなら先に行ってくれても…
お風呂《ふろ》がわきましたよー
は？
ねえナナ
せっかくここまでがんばって来《き》たのに
いつになったらアダムに会《あ》えるんだろうね
あんたジョージに会《あ》いたかったんじゃねぇのかよ！
………
あれ？
☆おまけページでまで気《き》が多《おお》いハチとノブ。２人《り》が会《あ》える日《ひ》は来《く》るのか!?

アニメ『NANA』

日本テレビ系全国放送で
毎週水曜日23時25分から
放映中！

http://www.ntv.co.jp/nana/

ファミリー新聞

2006年
9月15日号

DVDも続々発売中！（3巻9月27日発売！）

1巻	第1話＋特典映像	¥1,890<tax in>
2巻	第2話～第4話収録	¥3,990<tax in>
3巻	第5話～第7話収録	¥3,990<tax in>

発売・販売元：バップ

収録分数
70分7秒！（笑）

発売・販売元：バップ

オリジナル・サウンドトラック『NANA 707 soundtracks』発売中!!

アニメの中で惜しくも流れなかった
幻の「ブルート」の曲も収録！

（初回限定盤）¥2,310<tax in>
豪華49ページピクチャーブック仕様

（通常盤）¥2,100<tax in>

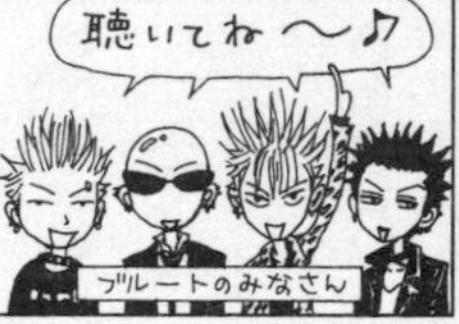

原作者太鼓判

歌唱キャスト ANNA（ナナ） OLIVIA（レイラ）の歌声を聴け！

旧オープニング曲「rose」
ANNA inspi' NANA（BLACK STONES）
CD¥1,050<tax in>・CD＋DVD¥1,680<tax in>
MAD PRAY RECORDS
発売中

旧エンディング曲「a little pain」
OLIVIA inspi' REIRA（TRAPNEST）
CD¥1,050<tax in>・CD＋DVD¥1,680<tax in>
cutting edge
発売中

新オープニング曲「Wish」＋新エンディング曲「Starless Night」
OLIVIA inspi' REIRA（TRAPNEST）
両A面シングルCD、10月中旬発売！
CD¥1,050<tax in>・CD＋DVD¥1,850<tax in>
cutting edge

ファミリー新聞　2006年9月15日号

東芝デジタルオーディオプレイヤー♪
「gigabeat」にNANAモデル登場!!

4タイプ♡

パソコンから音楽をダウンロードしたり、お手持ちのCDデッキから好きな曲を入れたりして持ち歩けるプレイヤー、「ギガビート」にNANAモデルが登場しました。100曲以上収録可能でFMチューナー・ボイスレコーディング機能も搭載！ 超軽量・超コンパクト！ NANAモデルは、赤いボディーに黒いボタンのナナバージョンと、白いボディーにピンクのボタンのハチバージョン♡そして、黒いボディーに赤いボタンのブラストバージョンと紫のボディーに水色のボタンのトラネスバージョンの4タイプ！ 貴方はどれを選ぶ？

詳しくはwww.gigabeat.netへアクセス！

☆集英社☆
ネットショッピングプラザ **mekke！** http://mekke.shueisha.co.jp

新商品続々発売中！

これが買えます！

ハチご愛用のルームドレス！
色も2巻の表紙と同じ
イエロー×ピンクで超キュート♡

㊟ハチは買えません

お家で今すぐお買い物♡

これも買えます！

みんなが欲しかった
いちごのペアグラス！

随時更新！ オフィシャルWEBサイト『NANA online』

最新情報はこちらでチェック!!
http://www.s-nana.com/

㊟エロサイトではありません

尋ね人

上原美里（偽名）

寺島伸夫

大崎ナナ

小松奈々

ファミリー新聞　2006年９月15日号

実写映画『NANA２』12月９日公開！

二代目 ハチ
市《いち》川《かわ》由《ゆ》衣《い》

二代目 レン
姜《きょう》暢《のぶ》雄《お》

㊟極道もの映画
ではありません

ねえ ナナ
キャスト変わっちゃったけど負けないよ

全国東宝洋画系にてロードショー

二代目シンは、このコミックス校了時点で未定です。

〈キャスト〉
● ナナ 中島美嘉
● ノブ 成宮寛貴
● ヤス 丸山智己
● レイラ 伊藤由奈
● ナオキ 水谷百輔
● タクミ 玉山鉄二

〈監督〉大谷健太郎

ファミリー新聞　2006年9月15日号

個別課金制 新サイト『NANAプレミアム』OPEN!! (i-mode対応)

随時更新

『モバイルNANA』会員も、そうでない人もぜひ覗いてみてね♡

より高機能なアイテムを充実させた新サイトが誕生しました！　時計やカレンダー、電波状態がわかる機能の付いたFlash待受けや、サイズが大きく豪華になったデコメ素材などを配信中！　『モバイルNANA』会員でない人も、アイテムを1個単位で購入することが可能です。ただし、会員の皆さんの方がより多くのアイテムを利用できます。『モバイルNANA』と組み合わせれば楽しさ無限大！　『モバイルNANA』からアクセスしてね!!

▼時計・カレンダー機能がついたFlash待受け。誰もいない部屋だけど…たまにヤスが帰ってくるよ！

▶DXデコメ素材。友達とのメールをより豪華に楽しもう！

『モバイルNANA』も、ますますパワーアップ!!

毎日遊んで楽しい♪「本日のお告げ」

毎月1日更新

結構当たる!?　とひそかなブームを呼んでいる、とかいないとか。今日のあなたの運勢は？　NANAのエピソードを交えつつ、その日1日のあなたへのアドバイスが告げられるよ。毎日1回遊んでね。

更新スケジュールをチェック！

毎週

月～金毎日☆「待受け」
月☆「Flashアクセサリー」
火☆「デコメテンプレート」
水☆「NANAメール」
木☆「フォトフレーム」
金☆「NANAクイズ」

毎月

1・15日☆「カレンダー」
7・8日☆「ナナの日・ハチの日限定待受け」
26日☆「メール送受信画像」「電話発着信画像」「デコメアイコン素材」

★その他、「オリジナル着モーション」や「人気投票」、「着メロ」などもりだくさん！
今後も新企画をたくさん計画中！
リクエストもお待ちしてます♡

10月1日(日) 読者と作者を結ぶ新コーナー スタート!!

毎月1日更新

「矢沢あいのここだけの話」は、9月で終了。なんと、10月からは皆さんの質問に作者・矢沢あいが答える新コーナーが始まります!!　NANAに関するものから、全く関係ないものまで!?　あなたからの質問を大募集！　モバイルNANA「淳子の部屋」コーナー内「矢沢先生への応援メッセージ」または、お便り募集の宛先へ送ってね♡

アクセス方法はこちら!!　待受け400枚以上、Flash待受け60枚以上、他多数！　取り放題で、月額たったの315円(税込)!!

i-mode　メニューリスト ▶▶ 待受画面 ▶▶ アニメーション/マンガ ▶▶ モバイルNANA

EZweb　EZトップメニュー ▶▶ カテゴリで探す ▶▶ 画像・キャラクター ▶▶ アニメ・コミック ▶▶ モバイルNANA

Vodafone live!　メニューリスト ▶▶ 壁紙・待受 ▶▶ アニメ・マンガ ▶▶ モバイルNANA

★★★★★★★★★★★★［3キャリア共通URL］ http://m.s-nana.com/★★★★★

スクープ!! Scoop!! 大好評発売中！NANAのゲーム第2弾!!

前回のファミリー新聞にてスクープした、NANAのゲーム化第２弾がついに発売！

NANAがポップでキュートなボードゲームになって登場!!

「NANA」のキャラクターたちが、とってもかわいいキャラになって、ボード上を駆け回る。照れたり、笑ったり、落ち込んだり、様々な表情を見せるキャラクターたちは見ているだけで楽しくなるよ！

▲電車も乗っちゃうの？

▲出る目は大魔王のお導き!?

プレイヤーキャラクターは、自分好みにカスタマイズできるよ。その組み合せの中には、こんなキャラクターも隠れているみたい!? みんないろいろな組み合わせを試してみてね。

メチャカワ新装丁♥

実果子とツトムと法司にまた会えるっ!

ご近所物語 完全版 全4巻

雑誌『りぼん』連載当時のカラーページを完全再現! レア度MAXのイラストギャラリーも付いた、カラフルな豪華版です♥

絶賛発売中!

定価 各1260円(税込) 集英社刊

書店さんにワープ!!

カバーイラストは全巻描き下ろし♥

☆当新聞の掲載商品は全て実在します。怖がらずにお買い求め下さい。

収録作品メモ

「NANA−ナナ−」⑯巻 ■クッキー・平成18年6月号から9月号に掲載
「NOBU−ノブ−」 ■クッキー・平成18年5月号別冊まんがに掲載

♥りぼんマスコットコミックス クッキー

N A N A −ナナ− ⑯

2006年 9 月20日　第 1 刷発行

著　者　　矢沢あい

編　集　株式会社 創美社
〒101-0051 東京都千代田区神田神保町 2−2
共同ビル
電話 03(3288)9823

発行人　片山道雄

発行所　株式会社 集英社
〒101-8050 東京都千代田区一ツ橋 2−5−10
電話　編集部 03(3230)6175
販売部 03(3230)6191
読者係 03(3230)6076
Printed in Japan
印刷所　凸版印刷株式会社

ISBN4-08-856707-2 C9979